AM MABINOGI

'S e ceithir fìor sheann sgeulachdan as a' Chuimrigh a th'anns a' Mhabinogi. Ach ma tha iad sean air aon dòigh, tha iad cho ùr ri ar latha fhìn air dòigh eile – oir ged a gheibh sinn ar dìol annta de rudan iongantach, gheibh sinn fir is boireannaich coltach rinn fhìn cuideachd, is faireachdainnean aca dìreach mar a th'againne.

'S ann an cainnt ar latha fhìn a gheibhear am Mabinogi anns an leabhar seo is ann an dà leabhar eile a thàinig a-mach mun aon àm, anns a' Chuimris agus anns a' Bheurla, le brosnachadh o Chomhairle Ealain na Cuimrigh. Seo a' chiad uair a nochd e sa Ghàidhlig.

AM MABINOGI

Seann Sgeulachdan as a' Chuimrigh
air an Ath-innse

Gwyn Thomas agus Iain MacDhòmhnaill

Dealbhannan le Mairead Jones

CLUB LEABHAR
1984

Air fhoillseachadh an 1984 le
Club Leabhar
P.O. Box 1, Port-ruighe, An t-Eilean Sgitheanach, Alba IV51 9BT

Clàr-fhiosrachadh Foillseachaidh Leabharlann Bhreatainn
Thomas, Gwyn, *1936–*
    Am Mabinogi: Seann Sgeulachdan as a' Chuimrigh air an Ath-innse
    1. Sgeulachdan——A' Chuimrigh   2. Fionnsgeoil——A' Chuimrigh
    Clàr fon ainm cuideachd
    (1. Tales——Wales   2. Legends——Wales
    I. Title)
    398.2'09429   GR150

LAGE/ISBN 0 902706 54 3

Air a dhealbh is air a thoirt gu buil dhan fhoillsichear le Lund Humphries Earr., an co-bhuinn ri
Comhairle Ealain na Cuimrigh is Clò Oilthigh na Cuimrigh

Air a chlò-bhualadh le W.S. Cowell Earr., Ipswich

Chuidich an Comann Leabhraichean am foillsichear
la cosgaisean an leabhair seo.

Tha am foillsichear an comain Caitlin NicLeòid, a chlò-sgrìobh an leabhar.

Tha Club Leabhar 'na roinn malairt aig
Johnston Green & a Chuid. (Foillsichearan) Earr., An t-Eilean Sgitheanach, Alba
(oifisean an Eirinn is anns na Stàitean Aonaichte)

An dealbh-toisich: Mar a Fhuaradh Pryderi (t. d. 26)

FACAL-TOISICH

Anns an latha anns a bheil sinn fhìn beo, tha mòran a bhios 'a' coimhead air telebhisean mar chur-seachad anns na feasgair. Glè thric, bidh na chì iad ag innse sgeulachd. 'S e fìor sheann rud a th'anns a' mheas a th'aig daoine air sgeulachdan. O chionn mìle bliadhna 's còrr, bhiodh na seann Chuimrich iad fhèin a' cruinneachadh còmhla an deaghaidh biadh an fheasgair a ghabhail, agus ag èisdeachd ri sgeulachdan. Bha am fear a bhiodh gan innse ann an cùirtean nam prionnsaichean anns a' Chuimrigh glè ealanta. Gu dearbha, bha an obair seo aige mar dhreuchd no mar chèaird, agus bu mhath a b'aithne dha iomradh a dhèanamh air rudan a dh'èirich do dhaoine, air cleasan is air tachartais iongantach.

Tha am Mabinogi làn dhiubh sin, agus 's iad na seann sgeulachdan Cuimreach as ainmeile a th'ann. 'S ann dha na Linntean Meadhanach a bhuineas iad, agus ged a tha na làmh-sgrìobhainnean anns am faighear iad mu sheachd ceud bliadhna dh'aois, tha na sgeulachdan fhèin gu math nas sine; bhathar gan innse – ann an cruth air choreigin – ceudan de bhliadhnaichean mun deach an sgrìobhadh riamh.

Feadhainn dhe na fir 's dhe na boireannaich annasach anns na sgeulachdan, 's e a bh'annta uaireigin ach seann diathan Ceilteach, na diathan a bh'aig na daoine a bha a' fuireach ann am Breatainn mun tàinig na Ròmanaich is na treubhan Sasannach. 'S ann o na daoine sin a thàinig na Cuimrich is Gaidheil na h-Alba 's na h-Eireann is Eilein Mhanainn, agus muinntir na Cùirn is na Breatainne Bige thall anns an Fhraing – na daoine a tha fhathast a' bruidhinn nan cànan Ceilteach. An uair a thàinig an creideamh Crìosdail chaidh na seann diathan, mean air mhean, a dhìochuimhneachadh. An deaghaidh sin, lean muinntir na Cuimrigh orra – mar a rinn iad an àiteachan eile – ag innse nan sgeulachdan mu na seann diathan. Tha fìor chuimhne air feadhainn aca anns a' Mhabinogi – ann an leithid Rhiannon, am boireannach dìomhair air an each sheunta; no ann an leithid an rìgh, Bendigeidfran, a tha 'na fhuamhaire agus dhan urrainn coiseachd a-null a dh'Eirinn. 'S ann anns an luchd-draoidheachd agus ann an dòighean annasach nan daoine anns na sgeulachdan a chì sinn, mar gum bitheadh, faileasan nan seann diathan.

Bha uair a bhiodh gaisgich thapaidh is mnathan-uaisle mar gum biodh iad fhèin fo gheasan, is iad ag èisdeachd ri na sgeulachdan iongantach seo ann an cùirtean rìoghail na Cuimrigh o chionn fad' an t-saoghail. Ann an tallachan nan Linntean Meadhanach, gun solas aca ach na thigeadh a coinnlean cuilce agus on teine, dh'innseadh seanchaidhean ionnsaichte ann an aithris sgeulachdan mu Rìgh-chathair Arberth agus mu Dhyfed fo dhraoidheachd. Bhiodh an sluagh fhèin ag innse feadhainn dhe na sgeulachdan cuideachd – am broinn an taighean beaga fhèin no a-muigh air a' chnoc air latha samhraidh. Mar a bha na sgeulachdan gan innse, o ghinealach gu ginealach is o àite gu àite, thàinig atharrachaidhean beaga orra, ach chaidh na rudan iongantach 's na rudan dìomhair a ghleidheadh.

Tha sinn an dòchas gun deach agus anns an ath-innse seo, a chaidh a dhèanamh dhan òigridh gu h-àraidh – ach a chòrdas, tha sinn an dòchas, ri leughadair sam bith a tha measail air deagh sgeulachd is a tha deònach beagan ùine a chur seachad ann an cuideachd leithid Branwen is Ghwydion, is anns an t-saoghal annasach a bh'aca.

CLAR-INNSE

PWYLL

PWYLL, PRIONNSA DHYFED

Bha Pwyll, Prionnsa Dhyfed, 'na thighearna air seachd sgìrean Dhyfed. Agus aon latha bha e ann an Arberth, tè dhe na prìomh chùirtean aige, agus smaoinich e gum biodh e math a dhol a shealg. Agus 's e a b'ainm dhan chuid sin dhe rìoghachd far an robh e airson sealg Gleann Cuch. An oidhche sin dh'fhalbh e a Arberth, agus thàinig e gu àite air an robh Pen Llwyn Diarwya, agus bha e an sin fad na h-oidhche.

An ath latha, dh'èirich e anns a' chamhanaich agus thàinig e a Ghleann Cuch a leigeil a chon seilge mu sgaoil sa choille. Shèid e a chòrn agus thòisich e air an t-sealg. Lean e na coin gus nach robh sgeul aige air a chompanaich. Ach nuair a bha e ag èisdeachd ri tabhanaich nan con aige fhèin, chual' e tabhanaich lomhainn eile a bha a' dèanamh fuaim eadar-dhealaichte o fhuaim nan con aige fhèin, agus bha an lomhainn seo a' tighinn a dh'ionnsaigh nan con aigesan. Agus chitheadh e rèidhlean sa choille, raon còmhnard. Nuair a ràinig na coin aigesan oir an raoin chitheadh e fiadh air beulaibh nan con coimheach. Agus faisg air meadhan an raoin siud na coin choimheach a' beireachdainn air an fhiadh agus ga leagail chun na talmhainn.

Choimhead e an uair sin air an dath a bh'air an lomhainn choimhich chon, gun dragh a ghabhail sealltainn air an fhiadh. Agus as na bha e air fhaicinn de choin seilge riamh, cha robh e air coin fhaicinn dhen dath a bh'orra siud. Bha dath geal soilleir orra, agus bha an cluasan dearg. Bha an cuirp a' deàrrsadh geal agus an cluasan a' deàrrsadh dearg. Agus an uair sin ràinig e na coin agus chuir e air falbh an fheadhainn choimheach a bha air am fiadh a mharbhadh, agus thòisich e air a choin fhèin a bhiathadh leis an fheòil.

Nuair a bha e an sàs ann am biathadh nan con, chunnaic e ridire a' tighinn as deaghaidh nan con coimheach. Bha e air each mòr breac, agus bha còrn crochte ri amhaich agus cleòc seilge de dh'aodach soilleir air. Thàinig an ridire far an robh Pwyll agus thuirt e ris, "A thighearna, tha fhios agam cò thu, ach chan eil mi a' dol a bheannachadh dhut."

"Seadh gu dearbh," arsa Pwyll. "'S dòcha gu bheil thu cho uasal 's nach leig thu a leas beannachadh dhomh."

"Faodaidh tu bhith cinnteach," fhreagair esan, "nach e m'uaisleachd a tha gam bhacadh o bheannachadh dhut."

"Gu dè a *tha* gad bhacadh, a thighearna?" dh'fhaighnich Pwyll.

"Aig Dia tha brath," ars' esan, "gur h-e do mhì-mhodh."

"Dè am mì-mhodh a tha thu a' faicinn annam, a thighearna?" dh'fhaighnich Pwyll.

"Chan fhaca mi mì-mhodh na bu mhotha an duine riamh," thuirt esan, "na gu ruaigeadh tu na coin a mharbh am fiadh agus gum biathadh tu do choin fhèin air. Bu mhòr am mì-mhodh sin. Agus ged nach eil mi a' dol a dhèanamh dìoghaltais ort, bheir mi cliù ort cho dona 's ged a bhiodh ceud fiadh ann."

"A-nis, a thighearna," arsa Pwyll, "ma rinn mi cron 'nad aghaidh, ceannaichidh mi do chàirdeas."

"Ciamar?" thuirt esan.

"A rèir d'inbhe, ge b'r'ith cò thu."

"Tha mi 'nam rìgh anns an dùthaich as an tàinig mi."

"A thighearna," arsa Pwyll, "latha math dhut. Cò an dùthaich as an tàinig thu?"

"A Annwn," thuirt esan. "Is mise Arawn, Rìgh Annwn."

"A thighearna," thuirt Pwyll, "dè an dòigh air an tèid agam air do chàirdeas fhaighinn?"

"Seo an dòigh," fhreagair Arawn. "Tha fear ann is tha a rìoghachd mu choinneamh mo rìoghachd-sa, agus tha e an còmhnaidh a' cogadh 'nam aghaidh. 'S e Rìgh Hafgan as ainm dha, a Annwn. Agus nam b'urrainn dhut crìoch a chur air a chuid geur-leanmhainn orm – rud as urrainn dhut a dhèanamh gu furasda – bhithinn 'nam charaid dhut."

"Nì mi sin gu toilichte," thuirt Pwyll. "Agus a-nis innis dhomh ciamar a nì mi e."

"Nì," thuirt esan, "mar seo. Bidh mise 'nam charaid mòr dhut agus cuiridh mi air dòigh gun gabh thusa m'àite ann an Annwn, agus bheir mi dhut am boireannach as àille a chunnaic thu riamh airson cadal còmhla riut, agus bheir mi ort gur h-e mo dhearbh choltas-sa a bhios ort, airson nach bi aon seirbhiseach no oifigeach no neach a bha riamh còmhla rium a thuigeas nach e mise a th'ann. Agus 's ann mar sin a bhios cùisean gu bliadhn' o màireach. Agus aig an àm sin coinnichidh sinn an seo a-rithist."

"Glè mhath," arsa Pwyll, "ach ma bhios mise 'nad rìoghachd fad bliadhna, ciamar a gheibh mi an duine seo air a bheil thu a' bruidhinn?"

"Bliadhn' o nochd," thuirt esan, "tha mise gus a choinneachadh aig an àth. Bidh thusa an sin is tu a' coimhead dìreach mar a tha mise. Thoir dha aon bhuille; chan urrainn dha bhith beò an deaghaidh sin fhaighinn. Ach ged a dh'iarradh e ort buille eile a thoirt dha, na dèan sin idir – ge b'r'ith ciamar a bhios e a' guidhe ort. Ge b'r'ith cia mheud buille a bheirinn-sa dha, bhiodh e a' sabaid 'nam aghaidh cho math 's a bha e riamh an ath latha."

"Glè mhath," arsa Pwyll. "Ach gu dè a nì mi le mo rìoghachd fhìn?"

"Cuiridh mise air dòigh nach bi fhios aig duine 'nad rìoghachd nach tu a th'annam-sa," ars' Arawn. "Thèid mi fhìn 'nad àite."

"Glè mhath," arsa Pwyll. "Gabhaidh mise romham."

"Cha bhi cnap-starradh sam bith 'nad rathad gus an tig thu gu mo rìoghachd-sa, agus thig mi còmhla riut a shealltainn na slighe dhut."

Chòmhdhalaich Arawn Pwyll gus am fac' e a' chùirt agus an t-àite far an robh daoine a' fuireach. "Sin thu," ars' esan. "Sin a' chùirt agus an rìoghachd, agus tha iad leatsa. Agus cum ort chun na cùrtach. Bidh aithne aig a h-uile duin' ort an sin. Agus mar a chì thu mar a tha rudan gan dèanamh sa chùirt 's ann a dh'fhàsas tu cleachdte ris an àite."

Chum Pwyll air chun na cùrtach. Agus an sin chitheadh e seòmraichean cadail is tallachan is seòmraichean eile, agus na togalaichean a b'eireachdaile a chunnaic duine riamh. Chaidh e dhan talla airson aodach eile a chur air. Agus thàinig luchd-leanmhainn is daoin' òga airson aodach a thoirt dheth. Agus mar a thigeadh gach fear thuige, chuireadh e fàilte air. Thàinig dà ridire airson aodach seilge a thoirt dheth agus aodach sìoda air dhath an òir a chur air.

Agus chaidh an talla ullachadh. Chunnaic Pwyll buidheann de shaighdearan na cùrtach 's de shaighdearan eile, agus a' chuideachd a bu bhrèagha 's a b'eireachdaile a chunnaic duine riamh a' tighinn a-steach dhan talla, agus a' bhan-rìgh còmhla riutha.

Agus b'ise am boireannach a b'àille a chunnaic duine riamh. Agus bha sìoda oirrese air dhath an òir dhealraich. An deaghaidh sin chaidh a h-uile neach ga ionnlaid fhèin, agus an uair sin chaidh iad chun nam bòrd agus shuidh iad mar seo: a' bhan-rìgh air aon taobh de Phwyll agus iarla, mar a shaoil e, air an taobh eile dheth. Agus thòisich e fhèin agus a' bhan-rìgh air còmhradh. Fhad 's a bha e a' còmhradh rithe shaoil e nach robh e air boireannach fhaicinn riamh a bu lugha a rinn de dhragh na i no a b'urramaiche gnè is còmhradh na i. Agus chuir iad an ùine seachad ag ithe 's ag òl agus ag èisdeachd ri òrain. Agus dhe na bha Pwyll air fhaicinn air thalamh de chùirtean, seo a' chùirt a bu mhotha a bha de bhiadh 's de dheoch innte, is de shoithichean òir 's de sheudan luachmhor.

Thàinig an uair sin àm cadail. Agus chaidh iad a chadal – e fhèin 's a' bhan-rìgh. Cho luath 's a chaidh iad dhan leabaidh chuir Pwyll aghaidh ri taobh na leapa, airson gum biodh a chùlaibh ris a' bhan-rìgh. Agus on àm sin gu madainn, cha duirt e aon fhacal rithe. An ath latha, bha iad glè ghràdhach is laghach ri chèile. Ach ge b'r'ith dè cho gràdhach 's a bhiodh iad feadh an latha, bha gach oidhche dìreach mar a bha a' chiad oidhche.

Chuir Pwyll a' bhliadhna seachad gu càilear – a' sealg, ag èisdeachd ri òrain, ag ithe is a' còmhradh ri chàirdean – gu oidhche na còmhraig. Agus feadh na h-oidhche sin bha a h-uile duine anns an rìoghachd a' cuimhneachadh air a' chòmhraig a cheart uiread 's a bha Pwyll fhèin. Thàinig e chun an àite far an robh aca ri coinneachadh, agus uaislean na rìoghachd còmhla ris. Agus cho luath 's a thàinig e chun an àth air an abhainn, dh'èirich ridire agus thuirt e mar seo: "A-nis, fhearaibh, èisdibh gu math. 'S ann eadar an dà rìgh a tha a' chòmhrag seo gu bhith, an dara fear an aghaidh an fhir eile. Tha gach fear dhiubh ag agairt còir air fearann an fhir eile. Faodaidh sibhse uile seasamh an dara taobh, agus biodh a' chùis eadar an dithis aca."

Leis a sin, thàinig an dà rìgh faisg air meadhan an àth a choinneachadh a chèile. Agus anns a' chiad ionnsaigh thug Pwyll (am fear a bha an àite Arawn) buille do Hafgan dìreach an teis-meadhan na sgèithe air dhòigh 's gun do bhrist i fhèin agus armachd uile, agus gun deach Hafgan a shadail bhàrr an eich agus fad a ghàirdein 's a shleagha, is e air a leòn gu bàs. "A, a thighearna," thuirt Hafgan, "dè an gnothach a bh'agad mise a mharbhadh? Cha robh mi an tòir air dad a bha leatsa. Agus chan eil fhios agam carson a mharbhadh tu mi ach, air sgàth Nì Math, cuir crìoch air an obair."

"A thighearna," arsa Pwyll, "'s dòcha gu bheil an t-aithreachas orm airson na rinn mi ort! Faigh cuideigin eile a mharbhas thu – chan eil mise dol ga dhèanamh."

"Mo dhaoin'-uaisle dìleas," thuirt Hafgan, "thoiribh as a seo mi. Tha mi dol a bhàsachadh. Chan eil dòigh agam air ur cumail tuilleadh."

"Agus m'uaislean-sa," thuirt Pwyll, "gabhaibh beachd am measg a chèile agus cuiribh romhaibh cò a bu chòir a bhith 'nan ìochdarain agamsa."

"A thighearna," thuirt na daoin'-uaisle, "bu chòir dhan a h-uile duine a bhith 'nan ìochdarain agad, oir chan eil rìgh eile ann an Annwn gu lèir ach thu fhèin."

"Glè mhath," thuirt esan. "Ge b'e cò a thig thugam gu h-umhail, bidh e ceart dhòmhsa gabhail ris. Ge b'e nach tig gu h-umhail, feumar a cho-èigneachadh leis a' chlaidheamh."

Leis a sin, ghèill na daoine uile do Phwyll agus ghabh e ùghdarras air an rìoghachd. Agus aig meadhan-latha an latharna-mhàireach bha an dà rìoghachd fo smachd aige, a rìoghachd fhèin is rìoghachd Hafgan.

Pwyll sa Chòmhraig

An uair sin thog Pwyll air airson Arawn a choinneachadh mar a gheall iad, agus chaidh e gu Gleann Cuch. Agus nuair a ràinig e sin bha Arawn, rìgh ceart Annwn, ga fheitheamh. Bha an dithis aca toilichte a chèile fhaicinn. "Dia a bhith math dhut gu dearbh," thuirt Arawn, "a rèir 's mar a bha thu 'nad charaid dhomh – chuala mi mar a thachair."

"Glè mhath," arsa Pwyll. "An uair a thig thu gu do dhùthaich fhèin, chì thu na rinn mi dhut."

"Dia a bhith math dhut airson na rinn thu dhomh," ars' esan.

An uair sin thug Arawn a chruth 's a choltas fhèin air ais do Phwyll, Prionnsa Dhyfed, agus chaidh e fhèin 'na chruth fhèin is ghabh e a choltas fhèin a-rithist. Agus chaidh Arawn air ais gu a chùirt fhèin an Annwn, agus bha e 'na thoileachadh mòr dha a shluagh fhèin 's a shaighdearan fhèin fhaicinn a-rithist, is e gun am faicinn fad bliadhna. Ach cha robh iadsan air Arawn ionndrain, agus cha robh dad ùr 'na thilleadh dhaibh. Chuir e seachad an latha sin gu h-aoibhneach 's gu tlachdmhor, 'na shuidhe 's e còmhradh ri bhean is ri uaislean. Agus nuair a thàinig àm cadail, chaidh a h-uile neach dhan leabaidh.

Chaidh Arawn dhan leabaidh, agus thàinig a bhean thuige an sin. An ciad rud a rinn e, 's e bruidhinn rithe, agus tionndadh thuice. Cha robh i air a bhith cleachdte ris a seo fad bliadhna, agus smaoinich i rithe fhèin, "Dè tha seo? Carson a tha e mar seo a-nochd, seach mar a bha e fad bliadhna?" Agus bha i ùine mhòr a' smaoineachadh. Agus an deaghaidh dhi a bhith smaoineachadh, dhùisg esan as an dùsal cadail anns an robh e agus bhruidhinn e rithe – aon turas, dà thuras, trì tursan; ach cha d'fhuair e freagairt. "Dè 's coireach nach eil thu a' bruidhinn rium?" dh'fhaighnich e.

"Uill," ars' ise, "chan eil mi air uiread seo a ràdh riut san leabaidh seo fad bliadhna."

"Dè?" thuirt esan. "Tha sinn air tòrr a ràdh ri chèile."

"Air mo mhionnan," ars' ise, "o bhliadhn' o raoir, o rachamaid dhan leabaidh cha bhiodh sùgradh no còmhradh sam bith eadarainn, is cha bhiodh d'aghaidh rium – gun ghuth a thoirt air a' chòrr."

"Gu fìrinneach," thuirt Arawn ris fhèin an uair sin, "fhuair mi duine daingeann agus dìleas mar charaid."

Leis a sin, thuirt e ri bhean, "Mo bhean-uasal, na biodh diomb ort a-nis – ach tha Dia 'na fhianais nach eil mise air cadal còmhla riut o bhliadhn' o raoir." Agus an uair sin dh'innis e an eachdraidh dhi o toiseach gu deireadh.

"Gu deimhinne," ars' ise, "tha thu air caraid dha-rìribh fhaighinn nuair a sheas e ri buaireadh mar sin agus a bha e dìleas dhut."

"Gun teagamh, mo bhean-uasal," thuirt e. "Bha mi smaoineachadh air a sin nuair a bha mi sàmhach."

"'S beag an t-iongnadh!" ars' ise.

Agus ràinig Pwyll, Prionnsa Dhyfed, a rìoghachd 's a dhùthaich fhèin cuideachd. Agus thòisich e air faighneachd dha na daoine a b'inbhiche san dùthaich cò ris a bha a riaghladh orra air a bhith coltach a' bhliadhna sin seach mar a bha e roimhe sin. "A thighearna," ars' iadsan, "cha robh thu riamh na bu chùirteile; cha robh thu riamh na b'aoigheile; cha robh e riamh na b'fhasa dhut tiodhlacan a thoirt seachad; agus cha robh rian air gnothaichean riamh na b'fheàrr na th'air a bhith orra am bliadhna."

"Aig Dia tha brath," thuirt esan, "gum bu chòir dhuibh taing a thoirt dhan fhear a bha an seo còmhla ribh. Agus seo mar a bha . . ." Agus an uair sin dh'innis Pwyll an

14

eachdraidh gu lèir dhaibh.

"Gle mhath, a thighearna," thuirt iad. "Taing do Dhia gu bheil thu air caraid mar sin fhaighinn. Agus an seòrsa riaghlaidh a th'air a bhith oirnn am bliadhna – tha fhios nach toir thu sin bhuainn?"

"Tha Dia 'na fhianais nach toir," arsa Pwyll.

Agus on àm sin a-mach thòisich Pwyll agus Arawn air an càirdeas a dhaingneachadh, is an dara fear a' cur each is mhial-chon is sheabhag chun an fhir eile, is gach gnè de rud luachmhor a shaoileadh e a chòrdadh ris an fhear eile. Agus a chionn 's gun deach Pwyll a dh'Annwn a' bhliadhna bha siud 's gun do shoirbhich le riaghladh, 's gun tug e na rìoghachdan ann gu chèile le thapachd 's le chomas mar ghaisgeach, sguir 'Pwyll, Prionnsa Dhyfed' a bhith air mar ainm, agus o sin a-mach 's e bh'air ach 'Pwyll, Rìgh Annwn.'

Agus bha Pwyll aon turas ann an Arberth, tèile dhe na prìomh chùirtean aige. Bhathar air cuirm a dheasachadh an sin agus bha mòran sluaigh ann còmhla ris. An deaghaidh dhan chiad fheadhainn a shuidh am biadh a ghabhail, dh'èirich Pwyll a ghabhail cuairt, agus chaidh e gu mullach cnuic a bha os cionn na cùrtach, cnoc air an robh an t-ainm Rìgh-chathair Arberth. "A thighearna," thuirt fear de mhuinntir na cùrtach ris, "'s e seo as iongantaiche mun Rìgh-chathair seo – ge b'e cò an duin'-uasal a shuidheas oirre, chan fhalbh e gun an dara rud tachairt: an dara cuid bidh e air a ghoirteachadh 's air a dhochann, no chì e rudeigin iongantach."

"Chan eil eagal orm gum bi mi air mo ghoirteachadh no air mo dhochann am measg na tha seo de shluagh," arsa Pwyll. "Ach bhithinn glè thoilichte rudeigin iongantach fhaicinn. Thèid mi is suidhidh mi air an Rìgh-chathair."

Agus chaidh e a shuidhe oirre. Agus fhad 's a bha iad uile 'nan suidhe an sin chunnaic iad boireannach air muin eich, each mòr glas, agus bha aodach sìoda oirre air dhath an òir dhealraich. Bha i a' marcachd air an rathad mhòr a bha a' dol seachad air an Rìgh-chathair. Neach sam bith a chitheadh an t-each, shaoileadh e gu robh e a' falbh air a shocair, gun atharrachadh 'na cheum, agus bha e a' tighinn mu choinneamh na Rìgh-chathrach. "Fhearaibh," arsa Pwyll, "a bheil duin' agaibh ag aithneachadh na tè a tha marcachd?"

"Chan eil, a thighearna," thuirt iad.

"Tha mi airson gun tèid cuideigin 'na coinneamh feuch cò i," thuirt esan.

Dh'èirich fear is dh'fhalbh e. Ach an uair a chaidh e chun an rathaid gus a coinneachadh, chaidh i seachad air. Chaidh e air a tòir cho luath 's a b'urrainn do dhuine sam bith dhe chois. Ach mar a bu mhotha a chabhag-san, 's ann a b'fhaide ise bhuaithe. Agus nuair a chunnaic e nach robh e gu feum sam bith dha a bhith ga leantainn, thill e far an robh Pwyll is thuirt e ris, "A thighearna, chan eil e gu feum sam bith do dhuine a dhol air a tòir dhe chois."

"Nach eil?" arsa Pwyll. "Thalla chun na cùrtach, ma-tha, agus thoir leat an t-each as luaithe as aithne dhut, is thalla as a deaghaidh."

Thug e leis an t-each a bu luaithe, agus dh'fhalbh e. Ràinig e blàr còmhnard, agus stuig e an t-each. Ach mar bu mhotha a stuig e an t-each, 's ann a b'fhaide a bha ise bhuaithe. Agus bha am boireannach fhathast a' falbh aig an aon astar 's a bha i a' falbh an toiseach. Thòisich an t-each aige air falbh na bu shlaodaiche. Agus nuair a thuig e gu robh an t-each sgìth a dh'fhalbh 'na dheann, thill e far an robh Pwyll. "A thighearna," thuirt e, "chan eil e gu feum sam bith do dhuine falbh as dèidh na mnà-

Am Boireannach air an Each

uasail ud. Chan aithne dhòmhsa each san rìoghachd as luaithe na'm fear seo, ach cha b'fhiach dhòmhsa falbh air a tòir.''

"An ann mar sin a tha?" arsa Pwyll. "'S e draoidheachd air choreigin as ciall dha seo. Tillidh sinn chun na cùrtach." Agus air ais chun na cùrtach gun deach iad, is chuir iad an latha seachad.

An ath latha, dh'èirich iad is chuir iad an latha seachad gus an tàinig àm bìdh. Agus an dèidh a' chiad shuidhe, thuirt Pwyll, "A-nis, faodaidh an fheadhainn a bh'ann an-dè tighinn gu mullach na Rìgh-chathrach a-rithist. Agus thoir thusa," thuirt e ri fear dhe na daoin' òga, "leat an t-each as luaithe as aithne dhut bhàrr an raoin." Agus rinn an duin' òg sin. Agus dh'fhalbh iad chun na Rìgh-chathrach, is an t-each aca.

Nuair a bha iad 'nan suidhe chunnaic iad am boireannach, air an aon each, is an t-aon aodach oirre, a' tighinn air an aon rathad. "Siud an aon tè 's a bha marcachd an-dè," arsa Pwyll. "Bi thusa deiseil, 'ille, feuch am faigh thu eòlas air cò i."

"A thighearna," ars' esan, "nì mi sin gu toilichte."

An uair sin thainig an tè a bha marcachd mun coinneamh. Agus chaidh am fear òg air muin an eich; ach mun d'fhuair e dòigheil air an dìollaid bha i air a dhol seachad air dhòigh 's gu robh astar eatarra. Ach cha robh i a' gluasad dad na bu luaithe na bha i an latha roimhe sin. Agus leig esan, an duin' òg, leis an each aige falbh air a shocair, is e a' smaoineachadh gun glacadh e am boireannach a dh'aindeoin 's gu robh an t-each aige a' gluasad cho mall. Ach cha deach leis. An uair sin leig e a thoil leis an each is dh'fhalbh e 'na dheann; ach cha robh e dad na b'fhaisge oirre na ged a bhiodh an t-each a' falbh air a shocair. Agus mar bu mhotha a bha esan a' bualadh an eich, 's ann a b'fhaide a bhiodh ise bhuaithe. Agus a chionn 's gun do thuig am fear òg nach robh e gu feum sam bith dha a bhith air a tòir, thill e far an robh Pwyll. "A thighearna," thuirt e, "cha tèid aig an each seo air siubhal ach mar a chunnaic thu."

"Chunnaic mi nach robh e gu feum sam bith dhut falbh as a deaghaidh," thuirt esan. "Ach tha fhios is cinnt gu bheil gnothach air choreigin aice ri cuideigin an seo, nan leigeadh a cuid raiginn leatha innse. Thèid sinn air ais chun na cùrtach."

Thàinig iad chun na cùrtach, agus chuir iad seachad an oidhche ann an seinn 's ann am fleadhachas, gus an robh a h-uile duine glè riaraichte. Agus an ath latha chuir iad an ùine seachad gus an tàinig àm bìdh. Agus an deaghaidh dhaibh am biadh a ghabhail, thuirt Pwyll, "Càit a bheil an fheadhainn a chaidh gu mullach na Rìgh-chathrach an-dè?"

"Seo sinn," ars' iadsan.

"Thèid sinn chun na Rìgh-chathrach is suidhidh sinn a-rithist," thuirt esan. "Agus cuir thusa," thuirt e ri gille nan each, "an dìollaid air an each agamsa gu cùramach, agus thoir chun an rathaid e, agus thoir leat na sporan agam." Agus rinn an gille sin.

Thàinig iad chun na Rìgh-chathrach is shuidh iad. Cha b'fhada a bha iad ann nuair a chunnaic iad am boireannach a' marcachd air an aon rathad air an robh i roimhe, is i a' coimhead mar a bha i roimhe 's a' gluasad mar a bha i roimhe. "'Ille," arsa Pwyll, "tha mi a' faicinn a' bhoireannaich. Thoir thugam an t-each." Chaidh e air muin an eich, ach cha bu luaithe a rinn e sin na chaidh ise seachad air. Thionndaidh e 's chaidh e as a deaghaidh. Bha each sunndach, èasgaidh aige, agus leig e leis falbh gu chomas. Smaoinich e gum beireadh e oirre air an dara sìnteig no air an treas tè. Ach cha robh e na b'fhaisge oirre na bha e roimhe. Thug e air an each falbh mar a dhèanadh e, ach thuig e nach robh e gu feum sam bith dha a bhith air a tòir.

An uair sin dh'èigh Pwyll, "A nighean, air sgàth an fhir as gràdhaiche leat, fuirich

17

rium.''

''Fuirichidh gu toilichte,'' ars' ise, ''agus 's e fada a b'fheàrr dhan each nan robh thu air sin iarraidh o chionn treis.'' Agus dh'fhuirich an nighean agus thug i dhith a' chuid sin dhe ceann-bheart a bu chòir a bhith còmhdach a h-aodainn, is choimhead i air is thòisich i air còmhradh ris. ''A bhean-uasal,'' thuirt Pwyll, ''cia as a thàinig thu is dè fàth do thurais?''

''A bhith an ceann mo ghnothaich,'' ars' ise. ''Agus tha mi toilichte d'fhaicinn.''

''Fàilte romhad,'' thuirt esan.

Agus smaoinich e an uair sin gu robh gach nighean is gach boireannach a bha e air fhaicinn riamh grànda an taca rithe. ''A bhean-uasal,'' thuirt e, ''nach innis thu rudeigin dhomh mu do ghnothach?''

''Innsidh gu dearbh,'' ars' ise. '''S e an gnothach as cudthromaiche dhomh thusa fhaicinn.''

''Air mo shon-sa dheth,'' arsa Pwyll, ''sin an gnothach as fheàrr sam bith. Agus an innis thu dhomh cò thu?''

''Innsidh, a thighearna,'' thuirt i. '''S mise Rhiannon, nighean Hefeydd Aosda, agus thathar gam thoirt mar bhean do dh'fhear an aghaidh mo thoil. Agus cha ghabhainn fear sam bith, agus sin a chionn 's gu robh gràdh agam ortsa. Agus cha mhotha na sin a ghabhas mi fear, mura diùlt thu mi. Agus 's ann a dh'fhaighinn do fhreagairt a thàinig mi an seo.''

''Tha Dia agam 'na fhianais,'' thuirt Pwyll, ''agus seo mo fhreagairt. Nan robh mo roghainn agam de bhoireannaich 's de nìghnean an t-saoghail uile, 's tusa a roghnaichinn.''

''Glè mhath,'' thuirt i. ''Mas e sin a tha thu ag iarraidh, cuir air dòigh gun coinnich thu mi mun toirear mi do dh'fhear eile.''

''Mar as luaithe 's ann as fheàrr leamsa,'' arsa Pwyll. ''Socraich a' choinneamh far an togair thu.''

''Nì mi sin, a thighearna. Socraichidh mise gum bi cuirm air a deasachadh dhut, bliadhn' o nochd, ann an cùirt Hefeydd Aosda.''

''Math dha-rìribh,'' thuirt esan. ''Bidh mi ann.''

''A thighearna,'' thuirt ise, ''thoir an aire dhut fhèin agus cum ri d'fhacal. Tha mis' a' falbh a-nis.''

Dhealaich iad, agus chaidh Pwyll air ais gu a shaighdearan 's chun a' chòrr dhen chuideachd. Ge b'r'ith ciamar a dh'fheuchadh iad ri cheasnachadh mun nighinn, chuireadh esan an gnothach seachad. Agus dh'fhalbh a' bhliadhna agus bha an t-àm aige a dhol a choinneachadh Rhiannon. Dheisealaich Pwyll, agus siud gun do dh'fhalbh e, mar aon am measg ceud marcaiche, a dh'ionnsaigh cùirt Hefeydd Aosda. Thàinig e chun na cùrtach agus chuireadh fàilte mhòr air. Bha mòran air cruinneachadh ann, agus bha cridhealas is ullachadh roimhe, agus chaidh tiodhlacan na cùrtach a roinn mar a chomhairlich esan. Chaidh an talla ullachadh, agus chaidh an sluagh gu na bùird. Agus shuidh Hefeydd Aosda air aon taobh de Phwyll agus Rhiannon air an taobh eile, agus an uair sin shuidh càch a rèir an inbhe. Agus bha iad ag ithe 's a' còmhradh is an gnothach a' còrdadh riutha.

Aig toiseach an t-subhachais an deaghaidh na cuirm, 's ann a chunnaic iad òganach mòr prionnsail le falt buidhe-ruadh a' tighinn a-steach, is aodach sìoda air. Agus nuair a ràinig e am bad a b'inbhiche san talla, chuir e fàilte air Pwyll 's air a chàirdean.

''Ceud mìle fàilte romhad, a charaid,'' arsa Pwyll. ''Dèan suidhe.''

"Cha dèan," thuirt esan. "Tha iarrtas agam, agus feumaidh mi an aire a thoirt air mo ghnothach."

"Dèan sin – 's e do bheatha," arsa Pwyll.

"A thighearna," thuirt am fear eile, "'s ann riutsa a tha mo ghnothach; thàinig mi a dh'iarraidh rud ort."

"Ge b'r'ith dè a dh'iarras tu, bheir mise dhut e, ma thèid agam air."

"O!" arsa Rhiannon. "Carson a fhreagair thu mar siud?"

"Siud a tha e air a ghealltainn, a bhean-uasal," ars' an duine, "agus sin air beulaibh uaislean."

"A charaid," arsa Pwyll, "dè tha dhìth ort?"

"Tha thusa a-nochd a' dol a chadal còmhla ris an tè as gràdhaiche leamsa na tè sam bith eile. Agus 's ann ga h-iarraidh fhèin agus na tha air ullachadh an seo a tha mi air tighinn."

Dh'fhuirich Pwyll sàmhach, oir cha robh dad ann a b'urrainn dha a ràdh.

"Bi sàmhach cho fad' 's a thogras tu," arsa Rhiannon; "cha robh duine riamh 'na leithid de dh'amadan 's a tha thusa air a bhith."

"A bhean-uasal," ars' esan, "cha robh fhios agamsa cò bh'ann."

"Seo am fear dhan tugadh mise an aghaidh mo thoil," thuirt ise. "Seo Gwawl mac Chlud, duine beairteach is mòran shaighdearan aige. Ach on a bhruidhinn thu mar a rinn thu, thoir mise dha mum bi daoine a' magadh ort."

"A bhean-uasal," thuirt e, "dè an seòrsa freagairt a tha sin? Chan urrainn dhomh an rud a tha thu a' ràdh a dhèanamh."

"Thoir mise dha," thuirt i, "agus nì mise cinnteach nach fhaigh e gu bràth mi."

"Ciamar?" dh'fhaighnich Pwyll.

"Bheir mi dhut poca beag," thuirt i. "Agus glèidh e gu tèarainte. Iarraidh esan a' chuirm agus na chaidh ullachadh: ach chan eil còir sam bith agadsa orra sin. Bheir mise a' chuirm dha na saighdearan is dhan chuideachd a tha an seo. Sin an fhreagairt a bheir thu dha a thaobh sin. Air mo shon-sa," thuirt i, "nì mi cùmhnant ris gum pòs mi e bliadhn' o nochd. Agus aig deireadh na bliadhna bi thusa – agus am poca seo agad – anns a' ghàrradh mheasan seo shuas le do chuid ridirean. Agus an uair a bhios esan am meadhan a shubhachais, thig seachad leat fhèin anns na piullagan, is am poca seo 'nad làimh. Agus na iarr dad ach làn a' phoca de bhiadh. Bheir mise air a' phoca nach bi e dad nas fhaisge air a bhith làn ged a chuirt' ann na tha de bhiadh 's de dheoch anns na seachd sgìrean seo. Nuair a bhithear air tòrr bìdh is dibhe a chur dhan phoca, faighnichidh esan, 'Am bi do phoca làn gu bràth?' Canaidh tusa, 'Cha bhi, mura h-èirich cuideigin uabhasach beairteach is urramach a bhruthas am biadh sa phoca le chasan agus a chanas, "Thathar air gu leòr a chur an seo."' Bheir mise air Gwawl a dhol a shaltairt a' bhìdh anns a' phoca. Agus nuair a thig e, tionndaidh thusa am poca gus am bi esan ann 's a chasan os a chionn. An uair sin ceangail thusa iallan a' phoca. Agus feumaidh còrn cruaidh a bhith agad mu d'amhaich agus, an uair a bhios esan air a cheangal am broinn a' phoca, sèid do chòrn ri do ridirean. Nuair a chluinneas iadsan an còrn bidh aca ri ionnsaigh a thoirt air a' chùirt."

"A thighearna," thuirt Gwawl, "tha làn-àm agam freagairt fhaighinn bhuat mu na dh'iarr mi."

"Na tha còir agamsa air, gheibh thu na tha thu air iarraidh dhe sin," thuirt Pwyll.

"A charaid," thuirt Rhiannon o taobh-se, "tha mise air a' chuirm is na chaidh ullachadh a thoirt do mhuinntir Dhyfed agus dhan bhuidhinn shaighdearan agus dhan chuideachd a tha an seo. Cha cheadaich mi gun toirear iad do dhuine sam bith eile. Ach bliadhn' o nochd bithear air cuirm a dheasachadh dhutsa, a charaid, gus am pòs thu mise."

Agus chaidh Gwawl gu a dhùthaich fhèin; agus Pwyll, chaidh esan a Dhyfed. Agus chuireadh a' bhliadhna sin seachad gus an tàinig àm na cuirm a bha ri cumail ann an cùirt Hefeydd Aosda. Thàinig Gwawl mac Chlud chun na cuirm a chaidh a dheasachadh dha. Chaidh e chun na cùrtach is chuireadh fàilte roimhe. Thàinig Pwyll, Rìgh Annwn, gu gàrradh nam measan cuideachd, mar aon am measg ceud marcaiche – dìreach mar a thuirt Rhiannon ris – agus bha am poca aige. Chuir e aodach piullach uime, agus seann bhrògan leibideach mu chasan. Agus nuair a mhothaich e gu robh an subhachas an deaghaidh a' bhìdh air tòiseachadh, thàinig e chun na talla. Nuair a bha e air a' chuid a b'inbhiche dhen talla a ruighinn, dh'fhàiltich e Gwawl mac Chlud agus na bha de dh'fhir 's de mhnathan cuide ris.

"Beannachd Dhè ort," arsa Gwawl, "agus fàilte romhad."

"A thighearna," ars' esan, "Dia a bhith math dhut. 'S mise fear aig a bheil gnothach riut."

"'S e do bheatha," arsa Gwawl. "Ma dh'iarras tu rud rianail sam bith, bheirear dhut e gu toilichte."

"'S e rud rianail a tha dhìth orm, a thighearna," thuirt e. "Chan eil mi ga iarraidh ach air sgàth gu bheil mi feumach air. 'S e bu mhath leam làn a' phoca seo de bhiadh."

"Chan eil thu 'g iarraidh mòran," arsa Gwawl, "agus 's e do bheatha fhaighinn. Thoiribh thuige am biadh."

An uair sin dh'èirich mòran sheirbhiseach is thòisich iad air am poca a lìonadh. Ach a dh'aindeoin na chuirt' ann cha robh am poca na b'fhaisge air a bhith làn na bha e roimhe.

"A charaid," arsa Gwawl, "am bi do phoca làn gu bràth?"

"Aig Dia tha brath nach bi," ars' esan, "a dh'aindeoin na chuirear ann, mura h-èirich duin'-uasal aig a bheil seilbh air fearann is beairteas agus an saltair e am biadh le dhà chois agus an can e, 'Thathar air gu leòr a chur an seo!'"

"Siud thu, a sheòid," arsa Rhiannon ri Gwawl: "èirich gun dàil."

"Nì mi sin," ars' esan.

Agus dh'èirich e is chuir e a chasan dhan phoca. Agus thionndaidh Pwyll am poca gus an robh Gwawl ann 's a chasan os a chionn; an uair sin dhùin e am poca is chuir e snaidhm air na h-iallan; agus an uair sin shèid e a chòrn. Leis a sin, rinn a bhuidheann shaighdearan ionnsaigh air a' chùirt agus rug iad air na bha sa chuideachd a bh'air tighinn còmhla ri Gwawl is chuir iad slabhraidhean air gach duine dhiubh. Agus shad Pwyll dheth na piullagan 's na brògan leibideach 's an t-aodach.

Agus mar a thigeadh a h-uile fear dhe chuid shaighdearan a-steach bheireadh e buille dhan phoca is dh'fhaighnicheadh e, "Dè tha seo?"

"Tha broc," chanadh càch. Agus 's e an cleas gun toireadh gach duine buille dhan phoca an dara cuid le chois no le slait, agus sin mar a bha iad a' cluich leis a' phoca. Agus mar a thigeadh gach fear a-steach dh'fhaighnicheadh e, "Dè an cleas a tha seo a th'agaibh?"

"Cleas a' bhruic sa phoca," fhreagradh iad. Agus 's ann an sin a chaidh 'Am Broc sa Phoca' a chluich an toiseach.

Am Broc sa Phoca

"A thighearna," thuirt am fear a bha sa phoca, "nan èisdeadh tu rium – chan e bàs freagarrach dhòmhsa idir mo mharbhadh ann am poca."

"A thighearna," thuirt Hefeydd Aosda, "tha an fhìrinn aige agus bu chòir dhut èisdeachd ris; chan e bàs freagarrach dha a tha sin."

"Ceart gu leòr," thuirt Pwyll. "Gabhaidh mi do chomhairle dha thaobh."

Arsa Rhiannon an uair sin, "Bheir mise comhairle ort: tha thu a-nis ann an suidheachadh far a bheil e mar dhleasdanas ort riarachadh a thoirt dhaibhsan uile – daoine is luchd-ciùil – a thig a dh'iarraidh rudan ort. Thoireadh esan tiodhlacan dhan a h-uile duine 'nad àite-sa, agus feuch gun tèid e'n urras nach iarr e iad sin air ais ort, agus nach fheuch e ri dìoghaltas a dhèanamh ort air sgàth seo; agus fòghnaidh sin mar pheanas dha."

"Gabhaidh mise ris a sin uile," ars' am fear a bha sa phoca.

"Is gabhaidh mise a' chomhairle sin gu toilichte," arsa Pwyll, "mas i comhairle Hefeydd agus Rhiannon."

"Sin ar comhairle," thuirt iadsan.

"Gabhaidh mi i, ma-tha," thuirt Pwyll. "Nis, dè mu dhaoine a bhios 'nam fianaisean aigesan?"

"Bidh sinne 'nar fianaisean aigesan, gus am faigh a dhaoine fhèin cothrom a bhith 'nam fianaisean," arsa Hefeydd.

Leis a sin, chaidh Gwawl a leigeil as a' phoca agus chaidh a dhaoine a leigeil mu sgaoil. "A-nis, iarr a chuid fhianaisean air Gwawl," arsa Hefeydd. "Tha fhios againne cò an fheadhainn a bu chòir dha a thaghadh mar fhianaisean." Agus chunntais Hefeydd na fianaisean.

"Innsibh dè tha dhìth oirbh," thuirt Gwawl.

"Tha mise riaraichte leis na thuirt Rhiannon," arsa Pwyll. Agus dh'aontaich na fianaisean air a' bhonn sin.

"Gu fìrinneach, a thighearna, tha mi air mo ghoirteachadh," arsa Gwawl, "agus tha mi air mo leòn gu dona agus feumaidh mi m'ionnlaid agus faothachadh fhaighinn. Le do chead, falbhaidh mi. Agus fàgaidh mi daoin'-uaisle an seo a bheir seachad as mo leth-sa dhan a h-uile duine a dh'iarras tiodhlacan ort."

"Glè mhath," arsa Pwyll. "Dèan-sa sin." Chaidh Gwawl an uair sin gu a dhùthaich fhèin.

Chaidh an talla ullachadh airson Phwyll 's a chuideachd, agus airson cuideachd cùirt Hefeydd Aosda. An uair sin ghabh iad uile an àite fhèin aig na bùird. Shuidh a h-uile neach anns an àite anns an robh e 'na shuidhe bliadhna on oidhche sin. Agus chaidh Pwyll agus Rhiannon chun an t-seòmair aca fhèin agus chuir iad seachad an oidhche gu laghach.

Aig beul an ath latha, thuirt Rhiannon, "A thighearna, èirich is tòisich air tiodhlacan a riarachadh am measg an luchd-ciùil, agus an-diugh na diùlt tiodhlac do dhuine a dh'iarras fear."

"Nì mi sin gu toilichte," arsa Pwyll, "an-diugh, agus fhad 's a mhaireas a' chuirm seo."

Dh'èirich Pwyll is dh'àithn e dhaibh iarraidh air a h-uile duine a bhith sàmhach feuch am faighte faighneachd dhan a h-uile duine air an robh rud a dhìth agus iarraidh air an luchd-ciùil tighinn air an adhart; agus thuirt e riutha gu faigheadh iad uile na bha iad a' miannachadh. Agus chaidh sin a dhèanamh.

Thàinig a' chuirm gu crìch, agus cha deach dad a dhiùltadh do dhuine fhad 's a mhair i. Agus nuair a chrìochnaich i thuirt Pwyll ri Hefeydd, "A thighearna, le do chead, nì mise air Dyfed a-màireach."

"Glè mhath," arsa Hefeydd. "Dia a bhith leat, agus cuir air dòigh cuin a leanas Rhiannon thu."

"Tha Dia agam 'na fhianais," arsa Pwyll, "gu falbh sinn as a seo còmhla."

"An e sin bu mhath leat, a thighearna?" dh'fhaighnich Hefeydd.

"Gu dearbha, 's e," thuirt Pwyll.

Air an ath latha shiubhail iad a dh'ionnsaigh Dhyfed agus chaidh iad gu cùirt Arberth, agus bhathar air cuirm a dheasachadh dhaibh an sin. Agus thàinig sluagh mòr de dh'fhir 's de mhnathan sònraichte na dùthcha thuca an sin. Cha do leig Rhiannon le duin' aca falbh bhuaipe gun tiodhlac àlainn a thoirt seachad – bràiste, no fainne, no seud luachmhor.

Agus shoirbhich leotha a' riaghladh na dùthcha a' bhliadhna sin, agus an dara bliadhna. Ach air an treas bliadhna thòisich muinntir na dùthcha air coimhead tùrsach is duilich airson gu robh iad a' faicinn duine mar an tighearna, air an robh iad cho measail, fear a bha 'na cho-dhalta dhaibh, as aonais oighre. Agus dh'iarr iad air tighinn thuca. Agus 's ann gu Preselau ann an Dyfed a thàinig iad a choinneachadh a chèile. "A thighearna," thuirt iad ri Pwyll, "tha air ar n-aire nach eil thu cho òg ri feadhainn againne, agus 's e an t-eagal a th'oirnn nach fhaigh thu oighre on bhean a th'agad. Air sgàth sin, faigh bean eile feuch am faigh thu oighre bhuaipe. Cha bhi thu idir," thuirt iad, "beò a chaoidh. Is ged a bhiodh tusa riaraichte a bhith gun oighre, chan fhuiling sinne sin idir."

"Tha sin fìor gu leòr," thuirt Pwyll. "Cha bhi sinn beò còmhla ri chèile ùine cho fada idir, agus faodaidh grunn rudan tighinn anns an rathad. Ach fàgaibh an gnothach seo agam gu deireadh na bliadhna, agus cuiridh sinn air dòigh gun coinnich sinn a-rithist an ceann bliadhna, agus an uair sin gabhaidh mi ur comhairle."

Shocraicheadh gum b'ann mar sin a bhitheadh.

Mun tàinig an t-àm coinneachadh rugadh mac do Phwyll, agus 's ann an Arberth a rugadh e. Agus air an oidhche a rugadh e thugadh boireannaich a-steach a choimhead as deaghaidh an leanaibh 's a mhàthar. Ach 's ann a chaidil na boireannaich, agus chaidil Rhiannon, màthair an leanaibh, cuideachd.

Seo mar a thachair. Bha sia boireannaich ann, agus rinn iad faire airson cuid dhen oidhche; ach, leis an fhìrinn, mun tàinig meadhan-oidhche bha a h-uile tè dhiubh 'na cadal. Suas mu bheul an latha dhùisg iad. Agus nuair a dhùisg iad sheall iad san àite far an do dh'fhàg iad an leanabh, ach cha robh sgeul air. "O!" arsa tè dhe na boireannaich, "tha an leanabh air chall."

"Dè air an t-saoghal a nì sin?" arsa tèile.

"Dè?" arsa càch.

Agus thuirt aon tè, "Tha cù seilge an seo, galla, is cuileanan aice. Marbhaidh sinn feadhainn aca agus suathaidh sinn an fhuil air aodann Rhiannon 's air a làmhan, is cuiridh sinn cnàmhan air a beulaibh is mionnaichidh sinn gur h-i fhèin a mharbh an leanabh. Cha tèid aice air cur an aghaidh na chanas sianar againn." Agus dh'aontaich iad seo a dhèanamh.

Nuair a bha i a' fàs soilleir dhùisg Rhiannon agus thuirt i, "O, a mhnathan, càit a bheil am fear beag?"

"A bhean-uasal," ars' iadsan, "na faighnich dhuinne mun fhear bheag. Tha sinne brùite an deaghaidh a bhith sabaid riut, agus gu dearbha, chan fhaca sinn a leithid de ghnè sabaid ann am boireannach riamh 's a bh'annad. Ach cha robh e gu feum sam bith dhuinn a bhith sabaid riut. 'S tu fhèin a chuir as dha do mhac, agus na faighnich dhuinne mu dheidhinn."

"A mhnathan truagha," arsa Rhiannon, "an ainm a' Chruithfhir, dhan aithne a h-uile rud, na cuiribh seo as mo leth le na breugan. 'S ann aig Dia, dhan aithne a h-uile rud, a tha brath gu bheil sibh a' dèanamh eucoir orm. Agus ma tha an t-eagal oirbh, tha mise a' bòideachadh gun dìon mi sibh."

"Gu dearbha," ars' iadsan, "cha leig sinne le cron sam bith tighinn oirnn air sgàth duine sam bith."

"Ach, a mhnathan truagha," ars' ise, "chan èirich olc sam bith dhuibh air sgàth an fhìrinn innse."

Ach ge b'r'ith dè a chanadh i, co-dhiùbh a bha e rianail no muladach, chan fhaigheadh i ach an aon fhreagairt o na boireannaich.

An uair sin dh'èirich Pwyll, Rìgh Annwn, agus na saighdearan 's a' chuideachd. Agus cha ghabhadh an tubaist a bh'air tachairt cumail am falach. Chaidh an eachdraidh air feadh na dùthcha, agus chuala na h-uaislean uile i. Agus thàinig iadsan còmhla agus chuir iad brathan gu Pwyll ag iarraidh air dealachadh ri bhean air sgàth an sgrios uabhasaich a bha i air a dhèanamh. Agus seo mar a fhreagair Pwyll: "Chan eil aca," ars' esan, "ach aon adhbhar a bhith 'g iarraidh ormsa dealachadh ri mo bhean, agus 's e sin i bhith gun chlann. Ach tha fhios agamsa nach eil, agus cha dealaich mi rithe idir. Ma rinn i droch rud, feumar a peanasachadh air a shon."

Dh'iarr Rhiannon air daoine foghlamaichte is daoine glice tighinn thuice. Agus an deaghaidh dhi cur roimpe gum b'fheàrr leatha gabhail ris a' pheanas na bhith a' connspaid ri na boireannaich, sin a rinn i. Agus 's e am peanas a thàinig oirre gu robh aice ri fuireach anns a' chùirt sin an Arberth fad sheachd bliadhna. Bha clach-mharcachd – far am bite a' dol air muin eich – an taobh a-muigh de chachaileith na cùrtach, agus bha aice ri suidhe an sin a h-uile latha agus a h-eachdraidh innse dhan a h-uile neach a thigeadh, ma bha i smaoineachadh nach robh fhios aige oirre. An uair sin, bha aice ri tairgse a thoirt luchd-siubhail is taisdealaich a ghiùlain chun na cùrtach air a druim, ma bha neach ann a bha deònach. Ach 's ann gu math ainneamh a leigeadh neach sam bith leatha sin a dhèanamh. Agus 's ann mar seo a chuir i seachad cuid dhen bhliadhna.

Aig an àm sin, 's e fear dham b'ainm Teyrnon Twrf Liant a bu tighearna air Gwent Is Coed, agus 's e am fear a b'fheàrr air an t-saoghal. Agus bha làir anns a' chùirt aige. Agus cha robh dad san rìoghachd – each no làir – a bu bhrèagha na i. Gach oidhche ro Latha Buidhe Bealltainn, bheireadh i searrach, ach cha bhiodh fhios aig duine air dad mun t-searrach sin. Agus 's ann a bhruidhinn Teyrnon ri bhean aon oidhche. "Bheil fhios agad," ars' esan, "tha e leibideach dhuinn a bhith leigeil le searraich na làrach againn falbh, gun ghin aca a chumail."

"Dè 's urrainn dhuinn a dhèanamh?" thuirt ise.

"Seo an oidhche ro Bhealltainn," ars' esan. "Guma h-èiseil dhomh mura faigh mi mach dè'n t-olc a tha goid nan searrach."

Agus dh'ordaich e gun toirte an làir a-steach. Chaidh e fo armachd agus thòisich e ri faire. Agus suas mu thoiseach na h-oidhche rug an làir searrach mòr tapaidh, agus

Mar a Mhealladh Rhiannon

dh'èirich e agus sheas e sa mhionaid. Dh'èirich Teyrnon a choimhead feuch dè cho tapaidh 's a bha an searrach, agus fhad 's a bha e a' coimhead chluinneadh e fuaim cruaidh, agus an deaghaidh an fhuaim siud ionga mhòr uabhasach a' tighinn tro uinneig an taighe agus a' beireachdainn air an t-searrach air gha-muing. Rug Teyrnon air a chlaidheamh agus gheàrr e an ionga bhàrr alt na h-uilne, air dhòigh 's gu robh cuid dhith an taobh a-staigh dhen taigh, is greim aice air an t-searrach. An uair sin chual' e fuaim cruaidh agus sgreuch còmhla. Dh'fhosgail e an doras agus rinn e as deaghaidh an fhuaim. Chan fhaiceadh e dè a bha ga dhèanamh air sgàth gu robh an oidhche cho dorcha; ach rinn e as a dheaghaidh. An uair sin chuimhnich e gu robh e air an doras fhàgail fosgailte, agus thill e. Agus nach robh leanabh beag aig an doras, is e air a shuaineadh an aodach sìoda. Thog e an gille beag agus chunnaic e gu robh e tapaidh dhe aois.

Ghlas Teyrnon an doras agus chaidh e dhan t-seòmar far an robh a bhean. "Mo bhean-uasal," thuirt e, "a bheil thu 'nad chadal?"

"Chan eil," fhreagair i. "Bha mi 'nam chadal, ach dhùisg mi nuair a thàinig thu steach."

"Seo agad leanabh dhut," thuirt e, "ma tha thu ga iarraidh. Rud nach robh agad riamh."

"A thighearna," thuirt i, "dè a thachair?"

"Seo mar a thachair, o thoiseach gu deireadh," arsa Teyrnon, agus dh'innis e an eachdraidh uile dhi.

"A thighearna," thuirt i, "dè an seòrsa aodaich a th'air an leanabh?"

"Aodach sìoda," thuirt e.

"'S e leanabh dhaoin'-uaisle a th'ann," ars' ise. "A thighearna, ma tha thu air a shon, bhithinn deònach gum biodh boireannaich agam a chanadh gu robh leanabh air a bhreith dhomh."

"Tha mise glè thoilichte a dhol leat an sin," thuirt esan. Agus sin mar a rinneadh. Thug iad an leanabh gu bhith air a bhaisteadh – a rèir an t-seòrsa baistidh a bh'ann an uair sin. Agus 's e an t-ainm a thugadh air an leanabh Gwri an Or-fhuilt, a chionn 's gu robh na bha dh'fhalt air a cheann cho buidhe ris an òr.

Chaidh an leanabh a thogail sa chùirt gus an robh e dà bhliadhna dh'aois. Agus mu robh e bliadhna bha e a' coiseachd gu tapaidh, agus e na bu mhotha na aois nan trì bliadhna – aois nan trì bliadhna a bhiodh mòr dhe aois e fhèin! Agus thogadh e airson bliadhn' eile, agus bha e uiread ri pàisde aois shia bliadhna. Agus ro dheireadh na ceathraimh bliadhna bhiodh e a' guidhe air gillean nan each leigeil leis na h-eich a thoirt gu deoch.

"A thighearna," thuirt a bhean ri Teyrnon, "càit a bheil an searrach a shàbhail thu an oidhche a fhuair thu an leanabh?"

"Thug mi dha na gillean e is thuirt mi riutha sealltainn ris," thuirt esan.

"A thighearna, nach bu mhath an rud e nan iarradh tu gun ceannsaicht' e 's gun toirt' e dhan ghille?" thuirt i. "Oir 's ann an oidhche a fhuair thu an gille a rugadh an searrach agus a shàbhail thu e."

"Chan eil mise an aghaidh sin idir," arsa Teyrnon. "Faodaidh tu a thoirt dha."

"A thighearna," thuirt i, "Dia a bhith math dhut. Bheir mi dha e."

Chaidh an t-each a thoirt dhan ghille. Agus thàinig ise gu muinntir-ionnsachaidh nan each agus gu na gillean a dh'iarraidh orra coimhead as deaghaidh an eich agus faicinn gum biodh e air a cheannsachadh 's air ionnsachadh nuair a bhiodh an gille deiseil airson a dhol a mharcachd; agus dèanamh cinnteach gu rachadh innse dhise mar a bha an t-each a' tighinn air adhart.

Fhad 's a bha seo a' dol, chual' iad mu Rhiannon 's mun pheanas a bh'oirre. Agus air sgàth an rud a fhuair e bha Teyrnon a dh'aona ghnothach ag èisdeachd ri naidheachd sam bith 's a' dèanamh ceasnachadh mionaideach a thaobh na h-eachdraidh, gus an robh e air tòrr gearain a chluinntinn o mhòran dhe na thàinig chun na cùrtach air cho truagh 's a bha mar a dh'èirich do Rhiannon 's am peanas a bh'oirre. Smaoinich Teyrnon air a sin agus sheall e gu geur air an leanabh. Agus air sgàth coltas an dithis thàinig e steach air nach robh e air mac is athair fhaicinn riamh a bha cho coltach ri chèile ri Gwri is Pwyll, Rìgh Annwn. (Bha deagh fhios aige cò ris a bha Pwyll coltach, oir bha e air a bhith toirt ùmhlachd dha roimhe sin.) Agus air sgàth seo thòisich e air dragh a dhèanamh dha nach robh e ceart dha an gille a chumail aige is fhios aige gur h-e leanabh duin' eile a bh'ann. An ciad chothrom a bh'aige, is e fhèin 's a bhean leotha fhèin, thuirt e rithe nach robh e ceart dhaibh an gille a chumail aca agus sin a' toirt uiread de dh'àmhghair do bhean-uasal cho gasda ri Rhiannon, gu h-àraidh nuair a bha an gille 'na mhac do Phwyll, Rìgh Annwn.

Dh'aontaich bean Theyrnon an leanabh a thilleadh gu Pwyll. "Agus gheibh sinn trì rudan air sgàth sin," thuirt i. "Taingealachd is duais airson Rhiannon a shaoradh o peanas; taingealachd o Phwyll airson an gille a thogail agus a thoirt air ais thuige; agus an treas rud – ma bhios an gille 'na dhuine ceart, bidh e 'na dhalta againn, agus nì e mar as fheàrr as urrainn dha dhuinn."

Agus dh'aontaich iad air a seo.

Air an ath latha fhèin rinn Teyrnon deiseil gu falbh a chùirt Phwyll le dà ridire, agus Gwri mar an ceathramh duine – air an each a bha Teyrnon air a thoirt dha. Dh'fhalbh iad a dh'ionnsaigh Arberth, agus cha tug iad fada air a ruighinn. Nuair a thàinig iad chun na cùrtach chitheadh iad Rhiannon 'na suidhe aig a' chloich-mharcachd. Ars' ise, nuair a thàinig iad mu coinneamh, "A, a thighearna, na rachaibh nas fhaide na sin. Giùlainidh mise sibh chun na cùrtach. Sin mo pheanas airson mo leanabh a mharbhadh agus cur as dha."

"A bhean-uasal," arsa Teyrnon, "cha chreid mi gu leig duine dhiubh seo leat an giùlain."

"Ge b'r'ith cò tha deònach a bhith air a ghiùlain," arsa Gwri, "cha tèid mise a ghiùlain."

"Tha thu glè cheart," arsa Teyrnon. "Cha tèid no sinne."

Thàinig iad an uair sin chun na cùrtach is chuireadh fàilte mhòr orra. Anns a' chùirt, bha iad gu tòiseachadh air a' chuirm. Bha Pwyll a' tilleadh o bhith a' siubhal timcheall Dhyfed. Chaidh iad chun na talla, agus gan nighe fhèin. Bha Pwyll toilichte Teyrnon fhaicinn. Agus chaidh iad a shuidhe. Seo mar a shuidh iad: Teyrnon eadar Pwyll is Rhiannon, dà charaid Theyrnon os cionn Phwyll agus an gille eatarra. Agus b'e seo còmhradh Theyrnon: dh'innis e an eachdraidh mun làir 's mun ghille gu lèir, agus mar a ghabh iad còir – e fhèin 's a bhean – air a' ghille mar gum b'ann leotha fhèin a bhiodh e, agus mar a thog iad e.

"Agus sin agad do mhac, a bhean-uasal," arsa Teyrnon. "Agus ge b'r'ith cò a chuir na breugan ort, 's olc a rinn iad. Nuair a chuala mise mu do thruaighe, bha mi duilich, is thòisich mi air dragh a ghabhail. Is chan eil mi smaoineachadh gu bheil aon neach sa chuideachd seo nach gabh ris gur h-e seo mac Phwyll."

"Chan eil duine nach eil làn-chinnteach as a sin," thuirt iad uile.

"Aig Dia tha brath," arsa Rhiannon, "nam biodh sin fìor, gu faighinn-sa cuidhteas m'uallach."

"Mo bhean-uasal," arsa Pendaran Dyfed, "dh'amais thu air deagh ainm dha do mhac – Pryderi ('M'uallach'). Agus 's e an t-ainm as fheàrr a fhreagras air Pryderi, mac Phwyll, Rìgh Annwn."

"Thoir an aire nach e ainm fhèin as fheàrr a thig dha," arsa Rhiannon.

"Dè an t-ainm a tha sin?" arsa Pendaran Dyfed.

"'S e Gwri an Or-fhuilt an t-ainm a thug sinne air," thuirt an fheadhainn a thog e.

"'S e Pryderi," arsa Pendaran Dyfed, "a bhios air."

"Sin as fheàrr," arsa Pwyll, "an t-ainm a thoirt on fhacal a thuirt a mhàthair nuair a fhuair i naidheachd mhath air." Agus dh'aontaich iad ris a sin.

"A Theyrnon," thuirt Pwyll, "Dia a bhith math dhuibh airson an gille a thogail thuige seo. Agus tha e iomchaidh dhasan, ma tha e 'na dhuine ceart, ur pàigheadh."

"A thighearna," arsa Teyrnon, "chan eil tèile air an t-saoghal as brònaiche a bhios as a dheaghaidh na an tè a thog e. Agus tha e iomchaidh dha cuimhneachadh air na rinn mi fhìn 's i fhèin air a shon."

"Tha Dia 'na fhianais," arsa Pwyll, "fhad 's as beò mise, gun dìon mi do thighearnas-sa fhad 's a thèid agam air mo thè fhìn a dhìon. Agus ma bhios Pryderi fhèin 'na thighearna an seo tha e nas freagarraiche buileach gun coimheadadh esan as ur deaghaidh. Agus ma tha sin rèidh ri ur toil agus ri toil nan daoin'-uaisle seo, bheir sinn am pàisde mar dhalta do Phendaran Dyfed o seo a-mach. Agus bidh e agaibhse mar charaid agus mar dhalta cuideachd."

"Bhiodh sin glè fhreagarrach," thuirt iad uile.

An uair sin thugadh an gille do Phendaran Dyfed, agus thàinig uaislean na cùrtach gus a bhith 'nan cuideachd dha. Agus chaidh Teyrnon Twrf Liant agus a chàirdean gu a dhùthaich 's a thighearnas fhèin le gràdh 's le sonas. Ach cha do dh'fhalbh e gun tairgse fhaighinn air na seudan a b'àille, is na h-eich 's na coin a b'fheàrr. Ach cha robh e airson dad a ghabhail.

Mar sin, bha iad uile a' fuireach 'nan rìoghachdan fhèin, agus chaidh Pryderi mac Phwyll, Rìgh Annwn, a thogail gu cùramach, mar a b'airidh e air, gus an robh e air an òganach a b'eireachdaile 's a bu chiataiche 's a b'ealanta air cleasan uasal san rìoghachd. Agus bha iad beò mar sin fad bliadhn' as deaghaidh bliadhna gus an tàinig beatha Phwyll, Rìgh Annwn, gu ceann agus an do dh'eug e. An uair sin riaghail Pryderi thairis air seachd sgìrean Dhyfed, agus shoirbhich leis agus bhathar measail air 'na rìoghachd fhèin agus anns na bha mun cuairt oirre. An deaghaidh sin cheannsaich e sgìrean eile, agus bha e an sàs anns na blàir sin gus an do smaoinich e air bean a ghabhail. Agus b'i an tè a thagh Pryderi mac Phwyll, Rìgh Annwn, Cigfa nighean Ghwyn Chlis, mhic Ghloyw Walltlydan, mhic Chasnar Wledig, o dhaoin'-uaisle an eilein seo.

Agus seo mar a tha a' gheug seo dhen Mhabinogi a' crìochnachadh.

BRANWEN

BRANWEN NIGHEAN LLŶR

Bha Bendigeidfran mac Llŷr 'na rìgh air Eilean Bhreatainn agus bhathar air a thaghadh gus an crùn a bhith air an Lunnainn. Agus aon fheasgar bha e ann a Harlech, an Ardudwy, tè dhe chùirtean. Bha e 'na shuidhe air creig Harlech, os cionn na mara, is Manawydan mac Llŷr, a bhràthair, còmhla ris; agus dà leth-bhràthair eile, Nisien is Efnisien, agus daoin'-uaisle eile, mar a tha iomchaidh timcheall air rìgh.

Bha an aon mhàthair ri Bendigeidfran aig an dithis bhràithrean seo, agus 's e fear dham b'ainm Euroswydd a b'athair dhaibh. 'S e Penarrdun nighean Bheli mhic Mhynogan a bu mhàthair dhaibhsan agus do Bhendigeidfran. Agus 's e duine math a bh'ann am fear dhe na bràithrean òga seo; dhèanadh e an t-sìth eadar dà fheachd nuair a bu nàimhdeile a bhiodh iad ri chèile. 'S e Nisien a bh'airsan. Ach airson an fhir eile, 's ann a bheireadh esan air sabaid tòiseachadh fiù 's eadar an dà bhràthair, Bendigeidfran is Manawydan, agus sin nuair a bu chòrdte a bhiodh iad. 'S e Efnisien a bh'airsan.

Nuair a bha iad 'nan suidhe mar seo, chitheadh iad trì bàtaichean deug a' tighinn o cheann a deas na h-Eireann agus a' dèanamh air an àite san robh iad. Bha iad a' falbh gu rèidh 's gu h-aithghearr, 's a' ghaoth 'nan cùl, agus bha iad a' tighinn faisg air a' chladach gu math luath. "Chì mi bàtaichean thall an siud," ars' an Rìgh, "agus tha iad a' dèanamh gu dian air an fhearann. Thoir òrdan do dh'fhir na cùrtach a dhol fo armachd agus a dhol a choimhead dè tha dhìth orra."

Rinn na fir sin agus chaidh iad sìos 'nan coinneamh. An deaghaidh dhaibh na bàtaichean fhaicinn faisg air làimh bha iad uile cinnteach nach robh iad air bàtaichean na bu bhrèagha fhaicinn riamh – bha brataichean laghach sìoda orra a bha bòidheach, eireachdail.

An uair sin chaidh tè dhe na bàtaichean air thoiseach air càch agus chitheadh iad sgiath ga togail os cionn gualainn a' bhàta – comharra na sìth. Agus thàinig na daoine faisg orra, feuch an cluinneadh iad a chèile. Chuir na daoine a bh'air a' bhàta a-mach eathraichean beaga agus thàinig iad gu tìr agus bheannaich iad dhan Rìgh. Chluinneadh an Rìgh iad on chreig mhòir anns an robh e os an cionn.

"Beannachd Dhè oirbh," thuirt e, "agus fàilte romhaibh. Cò leis na bàtaichean sin? Agus cò a tha 'na cheannard oirbh?"

"A thighearna," thuirt iad, "'s e Matholwch, Rìgh Eireann, a tha seo; agus seo na bàtaichean aige."

"Dè tha e 'g iarraidh?" ars' an Rìgh. "A bheil dùil aige tighinn air tìr?"

"Tha iarrtas aige dhut, a thighearna," thuirt iad, "agus cha tig e air tìr mura faigh e an rud a tha e 'g iarraidh."

"Dè tha e 'g iarraidh?" dh'fhaighnich an Rìgh.

"Tha e airson do theaghlach-sa 's a theaghlach fhèin a thoirt còmhla," fhreagair iad. "Tha e air tighinn a dh'iarraidh Branwen nighean Llŷr gu bhith 'na bean dha agus, ma dh'aontaicheas tu, tha e airson Eilean nan Treun" – sin an t-ainm a bh'air

Breatainn an uair sin – "agus Eirinn aonadh còmhla feuch am bi iad nas treasa."

"Glè mhath," thuirt e. "Thigeadh esan air tìr, agus èisdidh sinn ri comhairle a thaobh a' ghnothaich seo."

Thugadh an fhreagairt seo gu Matholwch. "Nì mi sin gu toilichte," thuirt e.

Thàinig e air tìr, agus chuireadh fàilte mhòr air. Chruinnich sluagh mòr anns a' chùirt an oidhche sin, eadar a mhuinntir-san is muinntir Bhendigeidfran.

An ath latha, an làrach nam bonn, chaidh coinneamh a chumail. Agus 's e a chaidh a shocrachadh gu faigheadh Matholwch Branwen mar bhean. Dh'aontaich iad coinneachadh an Aberffraw airson a' phòsaidh, agus thog iad uile orra a Harlech. Rinn an dà chuideachd air Aberffraw mar seo: Matholwch agus a dhaoine 'nan cuid bhàtaichean, agus Bendigeidfran 's a dhaoine-san air tìr. Ràinig iad Aberffraw, agus thòisich a' chuirm, agus chaidh a h-uile neach gu àite fhèin. Agus seo mar a shuidh iad: Bendigeidfran, Rìgh Eilean nan Treun; an uair sin Manawydan mac Llŷr air aon taobh dheth agus Matholwch air an taobh eile, is Branwen ri thaobh-san. Agus cha b'ann an taigh a bha iad idir, ach ann am pàilleanan – cha robh àite gu leòr an taigh sam bith do Bhendigeidfran.

Siud gun do thòisich a' chuirm. An deaghaidh dhaibh am biadh a ghabhail thòisich iad air còmhradh. Agus nuair a thuig a h-uile duine gum b'fheàrr dhaibh a dhol a chadal na leantainn orra leis a' chuirm, thug iad an leabaidh orra. Agus an oidhche sin chaidil Matholwch còmhla ri Branwen.

Air an ath latha, dh'èirich muinntir na cùrtach gu lèir, agus thoisich na h-oifigich air bruidhinn air càit am faigheadh iad àiteachan-fuirich dha na h-eich 's dha na seirbhisich. Agus chuireadh iad an caochladh àiteachan air feadh na dùthcha. An uair sin, aon latha, thàinig Efnisien – am fear connspaideach air an tugadh iomradh mu thràth – chun an stàbaill far an robhar air eich Mhatholwch a chur, agus dh'fhaighnich e cò leis a bha na h-eich.

"Sin eich Mhatholwch, Rìgh Eireann," chaidh a ràdh ris.

"Dè tha iad a' dèanamh an seo?" ars' esan.

"Tha iad an seo a chionn 's gu bheil Rìgh Eireann an seo – am fear a th'air do phiuthar a phòsadh. Seo na h-eich aigesan."

"Agus sin a rinn iad le nighinn leithid mo pheathar-sa? Thug iad seachad i gun chead bhuamsa! Cha b'urrainn dhaibh tàmailt na bu mhiosa thoirt dhomh," ars' esan.

Leis a sin, 's ann a rinn e air far an robh na h-eich, agus gheàrr e am bilean sìos gu ruige na fiaclan; agus an cluasan sìos gun cinn; agus an earbaill sìos gun cuirp; agus far am faigheadh e greim air am fabhran, gheàrr e iad chun a' chnàimh. Agus leòn e na h-eich mar seo, air dhòigh 's nach robh gin aca a bha gu feum.

Agus thàinig naidheachd gu Matholwch air mar a chaidh na h-eich aige a dhroch ghiullachd 's a chur o fheum.

"Gu firinneach, a thighearna," arsa fear dhe sheirbhisich, "tha iad air do mhaslachadh; sin a tha dhìth orra."

"'S ann aig Dia tha fhios, is chan ann agamsa," arsa Matholwch. "Tha e neònach leamsa gun iarradh iad mo mhaslachadh an deaghaidh nighean leithid Branwen a thoirt dhomh mar bhean – boireannach cho uasal, agus a h-uile duine cho measail oirre."

"A thighearna," arsa fear eile, "chì thu fhathast an ann mar seo a tha le cinnt, ach an dràsda chan eil ann dhut ach dèanamh air do chuid bhàtaichean." Leis a sin, thug

Banais Branwen

Matholwch na bàtaichean air.

Chuala Bendigeidfran gu robh Matholwch a' fàgail na cùrtach gun chead iarraidh. Chuireadh teachdairean thuige a dh'fhaighneachd carson. Agus b'iadsan Iddig mac Anarawg agus Hefeydd Ard. Rug na daoine sin air Matholwch is dh'fhaighnich iad dha dè a bha dùil aige a dhèanamh, agus carson a bha e falbh.

"Aig Dia tha brath," thuirt e, "nan robh fhios air a bhith agamsa air a seo, cha bhithinn air tighinn. Thathar air tàire mhòr a dhèanamh orm. Cha deach duine riamh air turas a bu mhiosa na seo. An rud a thachair dhomh an seo, cha ghabh e tuigsinn."

"Carson sin?" dh'fhaighnich iad.

"Chaidh Branwen nighean Llŷr a thoirt dhomh mar bhean, agus 's ise nighean Rìgh Eilean nan Treun, agus an uair sin thathar gam mhaslachadh mar seo! 'S e as iongantaiche leamsa nach do rinneadh an cron seo *mun deach* a leithid de nighinn ghrinn a thoirt dhomh."

"Aig Dia tha brath, a thighearna," thuirt iad, "nach ann le deòin an Rìgh, no deòin duine dhe chomhairlichean, a chaidh do mhaslachadh mar seo. Agus ged as e tàmailt mhòr a th'ann dhutsa, 's ann a tha a' chùis-nàire 's an droch cleas seo 'na mhasladh dona buileach do Bhendigeidfran."

"Gu dearbha, creididh mi sin," thuirt esan, "ach chan eil sin a' toirt na tàmailt dhìomsa."

Thill na teachdairean leis an fhreagairt seo gu Bendigeidfran, agus dh'innis iad dha mar a thuirt Matholwch.

"Gu dearbha," ars' esan, "chan fheàirrde sinn e ma dh'fhalbhas e as a seo 's e a' faireachdainn cho nàimhdeil rinn . . . Ach cha leig sinn leis falbh mar seo."

"Cha leig, a thighearna," thuirt iad. "Cuir teachdairean as a dheaghaidh a-rithist."

"Cuiridh," thuirt e. "A Mhanawydan mhic Llŷr agus a Hefeydd Aird, agus Unig na Guailne Làidir, èiribh agus rachaibh as a dheaghaidh. Innsibh dha gu faigh e each slàn mu choinneamh gach fir a chaidh a ghoirteachadh. Agus a bharrachd air a sin – mar èirig airson an eas-urraim a chaidh a dhèanamh air – gheibh e bata airgid cho tiugh ri lùdaig agus cho àrd ris fhèin, agus truinnsear òir cho leathainn ri aodann. Agus innsibh dha mun t-seòrsa duine a rinn an cron seo air, agus canaibh ris gur h-ann an aghaidh mo thoil-sa a rinneadh e; agus gur h-e leth-bhràthair dhomh a th'anns an fhear a rinn e, agus nach eil e furasda dhomh a mharbhadh no dad a dhèanamh air. Agus iarraibh air mo choinneachadh, agus nì mise an t-sìth eadarainn ann an dòigh sam bith a thoiliicheas e."

Dh'fhalbh na teachdairean as deaghaidh Mhatholwch, agus thug iad dha am brath ann an dòigh chàirdeil, agus dh'èisd e riutha.

"Fhearaibh," thuirt e, "èisdidh mi ri comhairle a thaobh seo."

Bheachdaich iad, agus seo a chaidh a chomhairleachadh: nan diùltadh iad an tairgse, 's e gu feumadh iad tuilleadh tàmailt fhulang a bu dòcha na gu faigheadh iad tairgse air barrachd mar èirig airson a' chroin. Agus chuir Matholwch roimhe gun gabhadh e ris an tairgse.

Mar sin, thàinig muinntir Mhatholwch gu sìtheil chun na cùrtach. Agus chaidh pàilleanan a shuidheachadh dhaibh a rèir mar bu chòir do thalla a bhith, agus chaidh iad gu biadh. Agus chaidh a h-uile duine chun an àite anns an robh e aig fìor thoiseach na bainnse.

Thòisich Matholwch is Bendigeidfran air còmhradh. Agus bha còmhradh Mhatholwch gun sunnd is tùrsach le Bendigeidfran, ged a bha e air toileachadh mòr a ghabhail 'na chòmhradh roimhe seo. Agus shaoil e gu robh an Rìgh duilich a chionn 's gu robh e smaoineachadh nach robh an èirig a thugadh dha airson na tàmailt mòr gu leòr.

"A dhuine," arsa Bendigeidfran, "chan eil thu 'nad chòmhraidiche cho math a-nochd 's a bha thu roimhe. Agus mas e as adhbhar dha sin gu bheil thu smaoineachadh nach eil gu leòr anns na fhuair thu mar èirig, cuiridh mise ris mar a thogras 'tu. Agus a-màireach gheibh thu do chuid each mar phàigheadh."

"Dia a bhith math dhut, a thighearna," thuirt e.

"Agus nì mi d'èirig nas tlachdmhoire dhut cuideachd," arsa Bendigeidfran. "Bheir mi dhut soitheach – coire mòr – agus 's e as iongantaiche dheth seo: nam marbhte fear dhe do dhaoine an-diugh is gu rachadh a shadail dhan choire, bhiodh e a-màireach cho math 's a bha e riamh, ach dìreach nach b'urrainn dha bruidhinn."

Thug Matholwch taing dha, agus dh'fhàs e na bu shunndaiche nuair a chual' e seo.

Air an ath latha, fhuair Matholwch a chuid each mar phàigheadh – na bha de dh'eich ceannsaichte rim faighinn. Agus an uair sin thugadh e do cheàrn eile dhen dùthaich, agus thugadh eich eile dha an sin gus an deach na h-eich a phàigheadh dha uile. Agus air sgàth seo thugadh Tal Ebolion (Eich mar Phàigheadh) air a' cheàrn sin dhen dùthaich on uair sin.

Air an dara h-oidhche, shuidh iad còmhla. "A thighearna," thuirt Matholwch, "cia as a thàinig an coire a thug thu dhomh?"

"'S e fear a bh'air a bhith 'nad dhùthaich fhèin a thug dhòmhs' e," arsa Bendigeidfran. "Agus, cho fad 's as fhiosrach mise, 's ann an sin a fhuair e e."

"Cò bh'ann?" dh'fhaighnich Matholwch.

"Llasar Llaes Gyfnewid," fhreagair Bendigeidfran. "Thàinig e an seo a Eirinn 's a bhean, Cymidai Cymeinfoll, còmhla ris. Bha iad air teicheadh a taigh iarainn an Eirinn nuair a chuireadh an taigh sin 'na theine 's iad 'na bhroinn. Agus theich iad as a sin. 'S neònach nach robh fhios agad air a seo."

"Tha fhios a'm air, a thighearna," thuirt e, "agus innsidh mi dhut na bheil fhios a'm air. Bha mi aon latha a' sealg an Eirinn, air cnocan os cionn locha, agus 's e Loch a' Choire an t-ainm a bh'air. Agus chithinn duine mòr bàn-ruadh a' tighinn a-mach as an loch, is coire air a dhruim. 'S e duine mòr uabhasach a bh'ann cuideachd, is aodann garg air; agus bha boireannach ga leantainn. Agus ma bha esan mòr, bha a bhean a dhà uiread ris! Agus thàinig iad 'nam choinneamh-sa agus dh'fhàiltich iad mi.

"'Seadh,' arsa mise, 'dè am beò a th'oirbh?'

"'Seo am beò a th'oirnne, a thighearna,' fhreagair esan. 'Am boireannach seo – tha leanabh gu bhith aice ann an sia seachdainean; agus an leanabh a bheireas i nuair a thig an t-àm, bidh e 'na ghaisgeach a th'air tighinn gu ìre, is e fo làn-armachd.'

"Thug mi còmhla rium fhìn iad, airson coimhead as an deaghaidh. Dh'fhuirich iad còmhla rium bliadhna. Fad na bliadhna sin cha do rinn iad gearain sam bith, ach o sin a-mach thòisich iad air gearain rium. Agus mu dheireadh a' cheathraimh mìos bha an dol a bh'aca a' fàgail gu robhar a' fàs coma dhiubh san dùthaich, 's gun daoine gan iarraidh. Bha iad a' dèanamh croin is sàrachaidh, 's a' cur dragh air fir is mnathan-uaisle. O sin a-mach bha an dùthaich rium feuch am faighinn cuidhteas iad, 's a' toirt roghainn dhomh – an dara cuid mo dhùthaich, no iadsan. Chuir mi a' cheist – 's e sin, dè ghabhadh dèanamh leotha – ri comhairle na dùthcha. Chan fhalbhadh iad dhen deòin; is cha ghabhadh iad cur air falbh an aghaidh an toil, air sgath an comais sabaid. Agus an uair sin, anns an imcheist a bha seo, shocraicheadh gun togte talla is i air fad air a dèanamh air iarann; agus nuair a bha i deiseil, chaidh a h-uile gobha an Eirinn agus a h-uile duine aig an robh clobha is òrd a ghairm thuice. Agus chaidh dùn de ghual-fiodha cho àrd ri mullach na talla a dhèanamh; agus chaidh biadh is deoch – ge b'r'ith dè a dh'iarradh iad – a chur innte dhaibh, dhan bhoireannach 's dhan duin' aice 's dhan chloinn. Agus nuair a bha fhios gu robh iad air an deoch a ghabhail, chaidh an gual-fiodha a chaidh a chàrnadh air muin na talla a chur 'na theine, agus thòisicheadh air builg-sèididh a bhathar air a chàradh timcheall an taighe a shèideadh – is aon duine aig gach dà bhalg. Agus chaidh na builg a shèideadh gus an robh an taigh 'na chaoir teas timcheall orra. An uair sin bhruidhinn iad ri chèile am meadhan na talla. Agus dh'fhuirich esan, Llasar, gus an robh am balla iarainn 'na chaoir teas. Agus air sgàth an dian-theas thug e ionnsaigh air a' bhalla le ghualainn agus bhrist e troimhe. Thàinig a bhean as a dheaghaidh. Agus 's ann as deaghaidh sin, tha mi creidsinn, a thàinig e nall thugadsa, a thighearna," arsa Matholwch ri Bendigeidfran.

"Gu dearbha, 's ann as deaghaidh sin a thàinig e an seo," arsa Bendigeidfran, "agus a thug e dhòmhsa an coire seo."

"Ciamar a ghabh thu riutha, a thighearna?"

"Roinn mi iad air gach ceàrn dhen dùthaich. Tha mòran ann dhiubh, is tha iad a' fàs nas lìonmhoire anns gach àite. Agus ge b'e àite sam bi iad, tha iad ga neartachadh le na gaisgich 's leis an armachd as fheàrr a chunnacas riamh."

Lean iad orra a' cainnt an oidhche sin fhad 's a thoilich iad, agus bha òrain is fleadhachas aca. Agus nuair a thuig iad gum b'fheàrr dhaibh a dhol a chadal na suidhe an sin, thug iad an leabaidh orra. Agus sin mar a chuir iad seachad a' chuirm a bha siud. Nuair a bha a h-uile dad seachad, rinn Matholwch air Eirinn, is Branwen cuide ris. Agus dh'fhalbh iad a Aber Menai ann an trì bàtaichean deug, agus ràinig iad Eirinn.

Chuireadh fàilte mhòr orra an Eirinn. Cha tàinig duin'-uasal no bean-uasal an Eirinn a choimhead air Branwen gun bhràiste, no fainne, no seud luachmhor fhaighinn – an seòrsa seud nach robhar a' toirt seachad mar thiodhlac ach glè ainneamh. Agus chuir i a' bhliadhna sin seachad mar seo, is i ga moladh gu mòr, agus bha amannan tlachdmhor aice, is mòran chàirdean. An uair sin dh'fhàs i trom. An ceann na h-ùine rugadh mac dhi. Agus 's e Gwern mac Mhatholwch an t-ainm a thugadh air a' ghille. Thugadh e 'na dhalta do chàraid anns an àite a b'fheàrr airson togail dhaoine a bh'ann an Eirinn.

An uair sin, anns an dara bliadhna, thòisich tòrr èighich an Eirinn mun mhasladh a bha Matholwch air fhulang sa Chuimrigh, agus mun chleas shuarach a rinneadh air na h-eich aige. An uair sin theann a cho-dhaltaichean 's a chàirdean air seo a thilgeil air gu follaiseach. Agus bha ùpraid an Eirinn agus cha bhiodh fois ann do Mhatholwch gus an robhar air dìoghaltas a dhèanamh air sàilleabh an rud eucoraich a rinneadh air. Agus 's e an dìoghaltas a rinneadh Branwen a chur a-mach a seòmar Mhatholwch agus toirt oirre a bhith còcaireachd sa chùirt. Agus dh'iarradh air an fheòladair tighinn – an deaghaidh dha a bhith gearradh na feòla – agus a bualadh san aodann a h-uile latha. Agus sin am peanas a fhuair i.

35

An Druid a' Falbh

"Agus gu dearbha, a thighearna," arsa muinntir Mhatholwch ris, "thoir a-nis air bàtaichean is eathraichean agus curachan sgur a dhol dhan Chuimrigh. Agus feadhainn sam bith a thig an seo as a' Chuimrigh, cuir sa phrìosan iad agus na leig as iad air eagal 's gun cluinnear mu dheidhinn seo sa Chuimrigh." Agus dh'aontaich iad ris a sin.

Mhair cùisean mar seo fad thrì bliadhna. Agus an uair sin thòisich Branwen air cleasachd ri druid a laigh air oir na cuaich a bh'aice a' fuine, agus dh'ionnsaich i bruidhinn dhi agus dh'innis i dhi dè an seòrsa duine a bha 'na bràthair, agus dh'ionnsaich i dhi mar a ghiùlaineadh i litir ag innse mun pheanas a bh'oirre agus an tàmailt a bh'aice ri fhulang. Cheangail i an litir ri bun sgiath an eòin, agus chuir i an t-eun dhan Chuimrigh.

Ràinig an t-eun an t-eilean seo. Agus 's ann an Caer Saint, ann an Arfon, a fhuair an druid Bendigeidfran, 's e ann aon latha am measg a luchd-comhairle. Thàinig i a-nuas air a ghualainn agus chuir i calg air a h-itean. Chunnacas an litir an uair sin, agus thuigeadh gur h-e eun soitheamh a bh'ann. An uair sin thugadh an litir on druid agus chaidh sealltainn oirre. Agus nuair a leughadh an litir rinn an t-iomradh air peanas a pheathar drùdhadh mòr air Bendigeidfran. Air ball, as an àite sin fhèin, thòisich e air teachdairean a chur a chruinneachadh ghaisgich an eilein seo. An uair sin dh'òrdaich e gun tigeadh gaisgich cheud gu leth sgìre 's a ceithir thuige, agus ghearain e fhèin riutha mu pheanas a pheathar.

Chumadh coinneamh an uair sin. Agus shocraicheadh gu rachadh iad a dh'Eirinn agus gu fàgte seachdnar dhaoine air ceann ghnothaichean an seo len seachd ridirean. Dh'fhàgadh na daoine sin an Edeirnion, agus 's ann air sgàth sin a thugadh an t-ainm Saith Marchog (Seachd Ridirean) air baile àraidh san àite sin. Dh'fhàgadh an t-eilean seo fo chùram an t-seachdnar sin. Agus b'e Caradog mac Bhran a bha 'na cheannard orra.

Sheòl Bendigeidfran agus fheachd a dh'Eirinn. 'S e grunndachadh tron uisge a rinn Bendigeidfran, oir cha robh a' mhuir farsaing an uair ud idir: cha robh ann ach dà abhainn – Lli agus Archan. 'S ann as deaghaidh sin a dh'fhàs a' mhuir farsaing, nuair a chaidh rìoghachdan a chòmhdach. Agus choisich Bendigeidfran a dh'Eirinn, is na clàrsairean uile aige air a mhuin.

Agus bha buachaillean-mhuc Mhatholwch ri taobh na mara aon latha a' toirt an aire dhan cuid mhuc. Agus air sgàth na cùis-iongnaidh a chunnaic iad air a' mhuir thàinig iad gu Matholwch.

"Fàilt' ort, a thighearna," thuirt iad.

"Dia gu soirbhicheadh leibh," ars' esan. "Dè ur naidheachd?"

"Tha, a thighearna, naidheachd iongantach," thuirt iad. "Tha sinn air craobhan fhaicinn sa mhuir, far nach fhaca sinn craobh riamh roimhe."

"Abair rud iongantach," ars' esan. "An robh sibh a' faicinn dad eile?"

"Bha, a thighearna," fhreagair iad, "beinn mhòr faisg air na craobhan, agus bha i a' gluasad! Agus bha druim àrd air a' bheinn, agus loch air gach taobh dheth. Agus bha na craobhan 's a' bheinn 's a h-uile dad eile a' gluasad!"

"Seadh dìreach," arsa Matholwch. "Chan eil duine an seo aig am bi fhios air dad mu na rudan sin, mura bi aig Branwen. Faighnichibh dhi."

Chaidh iad far an robh Branwen.

"A bhean-uasal," thuirt iad, "dè na rudan a tha thu a' smaoineachadh a tha seo?"

"Ged nach eil mise 'nam 'bhean-uasail'," thuirt i, "tha fhios a'm dè a th'ann. Tha daoine Eilean nan Treun a' tighinn a-nall an deaghaidh cluinntinn mu mo pheanas is mo thàmailt.''

"Dè na craobhan a chunnacas air a' mhuir?'' dh'fhaighnich iad.

"Cruinn is slait-shiùil nam bàtaichean,'' fhreagair ise.

"O!'' thuirt iad. "Dè a' bheinn a chìte ri taobh nan craobhan?''

"Bendigeidfran,'' thuirt i, "mo bhràthair. Tha esan a' grunndachadh tron tanalach. Chan eil bàta anns an toill e.''

"Dè an druim àrd a bh'ann 's na lochan air gach taobh dheth?''

"Bendigeidfran,'' ars' ise, "mo bhràthair, 's e a' coimhead air an eilean seo, 's an fhearg air. An dà loch air gach taobh dhen druim – sin a shùilean air gach taobh dhe shròin.''

An uair sin chruinnich iad gaisgich na h-Eireann gu lèir gu sgiobalta còmhla, is chum iad coinneamh.

"A thighearna,'' ars' a dhaoin'-uaisle ri Matholwch, "chan eil ach aon rud glic ann

as urrainn dhuinn a dhèanamh – tilleadh tarsainn air abhainn Llinon, a' cur na h-aibhne eadar thu 's esan, agus an uair sin an drochaid a tha tarsainn na h-aibhne a leagail. Agus tha clachan-tarraing aig bonn na h-aibhne – chan urrainn do bhàta no do rud sam bith eile air bhog a dhol air an abhainn."

Agus theich iad tarsainn na h-aibhne agus chuir iad as dhan drochaid.

Thàinig Bendigeidfran agus a' chabhlach air tìr faisg air bruaich na h-aibhne.

"A thighearna," thuirt a dhaoin'-uaisle ri Bendigeidfran, "tha fhios agad air nàdur sònraichte na h-aibhne seo, nach urrainn do dhuine a dhol troimpe – agus chan eil drochaid oirre.'

"Chan eil air a shon," thuirt e, "ach gum bi am fear a tha 'na cheannard 'na dhrochaid. Bidh mise 'nam dhrochaid." Agus 's ann an seo a chaidh na faclan seo a ràdh an toiseach, agus tha iad gan cleachdadh mar sheanfhacal fhathast.

An uair sin, an deaghaidh do Bhendigeidfran sìneadh tarsainn na h-aibhne, chaidh clàir fhiodha a chur air a mhuin, agus choisich na gaisgich tarsainn air. Cho luath 's a dh'èirich e, thàinig teachdairean Mhatholwch thuige is dh'fhàiltich iad e, agus chuir iad fàilt' air o Mhatholwch, fhear-dàimh, agus thuirt iad gu robh Matholwch a' cur bheannachdan thuige.

"Agus tha Matholwch a' toirt riaghladh na h-Eireann do Ghwern mac

Bendigeidfran 'na Dhrochaid

39

An Coire Mìorbhaileach

Mhatholwch – mac do pheathar. Agus tha e airson a chrùnadh 'nad làthair-sa, mar èirig airson a' chroin a rinneadh air Branwen, 's na tàmailt a fhuair i. Agus ge b'r'ith càit an togair thu – an seo, no an Eilean nan Treun – dèan ullachadh airson Mhatholwch."

"Seadh," arsa Bendigeidfran, "mura h-urrainn dhomh fhìn a bhith 'nam rìgh, 's dòcha gun èisd mi ri comhairle mu na tha sibh a' tairgse. Ach o seo a-mach – gus am faigh mi tairgse eile – cha toir mi freagairt sam bith dhuibh."

"Tha sinn a' tuigsinn," thuirt iad. "An tairgse as fheàrr a gheibh sinn, thig sinn thugad leatha. Agus fuirich ris an tairgse."

"Fuirichidh," thuirt e, "ma thig sibh a dh'aithghearr."

Dh'fhalbh na teachdairean air ais gu Matholwch.

"A thighearna," thuirt iad, "cuir tairgse nas fheàrr air dòigh do Bhendigeidfran. Cha do chuir e cus diù anns a' chiad tairgse a thàinig bhuainn."

"A-nis, fhearaibh," arsa Matholwch, "dè tha sibh a' comhairleachadh?"

"Chan eil ann, a thighearna, ach an aon chomhairle a bheir sinn ort. Cha robh taigh ann riamh anns an toilleadh Bendigeidfran. Tog taigh mar urram dha, taigh anns an toill e fhèin is muinntir Eilean nan Treun air an dara taobh, agus thusa 's do ghaisgich air an taobh eile. Agus thoir dha an riaghladh airson dèanamh leis mar a thogras e, agus thoir ùmhlachd dha. Agus air sgàth an urraim – taigh a bhith aige anns an toill e, rud nach robh aige riamh roimhe – bidh e deònach sìth a bhith eadaraibh."

Thàinig iad gu Bendigeidfran leis an teachdaireachd seo. Ghairm esan coinneamh chomhairle. Agus dh'aontaicheadh gabhail ris an tairgse. Agus 's e Branwen a chomhairlich gun dèante seo – agus rinn i sin airson nach biodh an dùthaich air a creachadh.

Chaidh an t-sìth a dhaingneachadh, agus chaidh an taigh a thogail gu mòr 's gu brèagha. Ach mheall na h-Eireannaich iad. Agus 's e an dòigh air an do mheall iad iad taraig fhada a chur air dà thaobh gach cuilbh dhen cheud colbh a bh'anns an taigh agus bolg, no poca craicinn, a chur air gach taraig, agus saighdear fo armachd a chur anns a h-uile fear dhe na builg. Ach 's e seo a rinn Efnisien: thàinig e a-steach ro fheachd Eilean nan Treun agus choimhead e gu fiadhaich 's gu feargach timcheall an taighe. Agus mhothaich e dha na builg air na colbhan.

"Dè a tha sa bholg seo?" dh'fhaighnich e do dh'fhear dhe na h-Eireannaich.

"Min, a charaid," thuirt am fear sin.

Agus 's e seo a rinn Efnisien: dh'fheuch e a' 'mhin' gus an d'fhuair e greim air a cheann, agus dh'fhàisg e sin gus an do dh'fhairich e a chorragan a dol tron chlaigeann dhan eanchainn. An uair sin dh'fhàg e am fear sin agus chuir e a làmh air fear eile agus dh'fhaighnich e, "Dè tha seo?"

"Min," ars' an t-Eireannach.

Agus 's ann a rinn Efnisien an aon chleas air a h-uile fear dhiubh, gus nach robh air fhàgail beò dhen dà cheud ach aon duine. Thàinig e chun an fhir sin is dh'fhaighnich e, "Dè tha seo?"

"Min, a charaid," ars' an t-Eireannach.

Agus 's e a rinn esan a-rithist ach feuchainn gus an d'fhuair e an ceann, agus mar a dh'fhàisg e càch dh'fhàisg e am fear seo cuideachd. Bha e a' faireachdainn clogaid air ceann an fhir seo. Ach cha do dh'fhàg e e gus an do mharbh e e. An uair sin sheinn e rann:

"Anns na builg tha seo tha 'min' de sheòrsa àraidh –
gaisgich is laoich, fir gharbha 'n aghaidh nàmhaid,
saighdearan 's luchd-sabaid, deiseil 'son a' bhlàir iad."

Dìreach an uair sin, thàinig tòrr sluaigh a-steach dhan taigh. Agus thàinig fir Eilein Eireann a-steach dhan taigh air aon taobh, is fir Eilean nan Treun air an taobh eile. Agus cho luath 's a bha iad air suidhe, thàinig iad gu còrdadh, agus chaidh an gille, Gwern, a chrùnadh 'na Rìgh.

An uair sin, an deaghaidh do chùmhnantan na sìth a bhith air an socrachadh, ghairm Bendigeidfran an gille thuige. Chaidh e bhuaithesan gu Manawydan; agus bha a h-uile duine a chunnaic e a' dèanamh dheth. Agus ghairm Nisien an gille thuige o Mhanawydan agus chaidh e thuige 'na dhòigh shocair fhèin. "Carson," ars' Efnisien, "nach eil mac mo pheathar a' tighinn thugamsa? Ged nach b'e Rìgh na h-Eireann idir, bhithinn toilichte eòlas a chur air."

"Thairg thuige gu sona," arsa Bendigeidfran.

Chaidh an gille gu sona thuige.

"Air mo mhionnan, an ainm Dhè," thuirt Efnisien ris fhèin, "gu bheil mi nis a' dol a dh'adhbhrachadh truaighe nach eil dùil aig duine an seo rithe."

Agus sheas e agus rug e air a' ghille air a dhà chois. Gu grad, agus gun dòigh aig duine san taigh air greim a ghabhail air, shad e an gille an comhair a chinn do lasraichean an teine. Agus nuair a chunnaic Branwen a pàisde ga losgadh rinn i airson leum dhan teine as an àite anns an robh i 'na suidhe eadar a dà bhràthair. Ach rug Bendigeidfran oirre le aon làimh agus thog e a sgiath le làimh eile. Agus an uair sin dh'èirich a h-uile duine a bha san taigh. Sin am fuaim a bu chruaidhe a rinn sluagh riamh ann an taigh sam bith – chaidh a h-uile duine a thogail a chuid armachd. Agus nuair a chaidh a h-uile duine a dh'iarraidh a chuid armachd chum Bendigeidfran Branwen eadar a sgiath 's a ghualainn.

Thòisich na h-Eireannaich an uair sin air teine a thogail fo choire an ath-bhreith. Agus chaidh cuirp nan daoine marbha aca a shadail dhan choire gus an robh e làn. Air an ath mhadainn thàinig na saighdearan sin a-mach as a' choire cho math 's a bha iad riamh, ach nach b'urrainn dhaibh bruidhinn.

An uair sin, nuair a chunnaic Efnisien gu robh uiread de chuirp fir Eilean nan Treun nach robh an còrr àite ann dhaibh, am bad sam bith, "Mo chreach," ars' esan ris fhèin, "mo thruaighe gur mise as adhbhar dhan tòrr seo de dhaoine Eilean nan Treun. Mo nàir' orm," thuirt e, "mura feuch mi ri feadhainn dhe mo mhuinntir fhìn a shàbhaladh."

Agus 's ann a thiodhlaic e e fhèin am meadhan cuirp nan Eireannach. Thàinig dà Eireannach leth-rùisgte thuige agus shad iad e dhan choire, mar gum b'e Eireannach a bh'ann. An uair sin shìn e e fhèin a-mach anns a' choire gus an do sgàin e 'na cheithir pìosan, agus gus an do sgàin a chridhe cuideachd leis an spàirn. Agus 's ann air sgàth seo a fhuair fir Eilean nan Treun a' bhuaidh, an seòrsa buaidh a fhuair iad. Cha bu bhuaidh i, leis an fhìrinn, oir cha d'fhuair as beò ach seachdnar dhaoine, is Bendigeidfran – is e air a leòn sa chois le sleagh air an robh puinsean. Agus 's e b'ainm dhan t-seachdnar Pryderi, Manawydan, Glifiau mac Tharan, Taliesin agus Ynawg, Gruddiau mac Mhuriel agus Heilyn mac Ghwyn Aosda.

An uair sin dh'iarr Bendigeidfran gun geàrrte a cheann fhèin dheth.

"Agus thoiribh leibh an ceann," thuirt e, "agus giùlainibh e chun a' Chnuic Bhàin an Lunnainn, agus tiodhlaicibh e is aghaidh ris an Fhraing. Agus bidh sibh ùine mhòr air an rathad: bidh sibh ann a Harlech, ri fleadhachas, fad sheachd bliadhna, is Eòin Rhiannon a' seinn dhuibh. Is bidh an ceann 'na chuideachd cho math 'nur sealladh-se 's a bha e nuair a b'fheàrr e 's e air mo ghuailnean. Fuirichidh sibh an uair sin ann an Gwales, ann am Penfro, fad cheithir fichead bliadhna. Agus gus am fosgail sibh an doras mu choinneamh Aber Henfelen, anns a' Chùirn, faodaidh sibh fuireach an sin agus an ceann còmhla ribh, is e a' seasamh math gu leòr. Ach aon uair 's gu fosgail sibh an doras sin, chan urrainn dhuibh fuireach ann nas fhaide. An uair sin dèanaibh air Lunnainn airson an ceann a thiodhlacadh . . . Agus a-nis rachaibh tarsainn chun an taoibh thall.''

Chaidh ceann Bhendigeidfran a ghearradh dheth an uair sin. Agus dh'fhalbh an seachdnar fhear a dh'ionnsaigh an taoibh thall leis a' cheann, is a h-ochdnar ann le Branwen.

'S ann aig Aber Alaw ann an Tal Ebolion a thàinig iad air tìr. Shuidh iad an uair sin airson fois a ghabhail. Agus sheall Branwen air Eirinn, is air Eilean nan Treun – na chitheadh i dhiubh.

''A, a Mhic Dhè,'' ars' ise, ''nach truagh gun do rugadh riamh mi. Chaidh mathas dà eilean a sgrios air mo sgàth-sa.'' Agus leig i osna mhòr agus bhrist a cridhe. Agus chaidh uaigh cheithir-thaobhach a dhèanamh dhi, agus chaidh a tiodhlacadh an sin air bruaich na h-Alaw.

An deaghaidh sin lean an seachdnar fhear orra a dh'ionnsaigh Harlech, is an ceann còmhla riutha. Agus nuair a bha iad a' siubhal thàinig buidheann de dh'fhir 's de bhoireannaich 'nan coinneamh.

''A bheil naidheachd sam bith agaibh?'' arsa Manawydan.

''Chan eil,'' ars iadsan, ''ach gu bheil Caswallon mac Bheli air Eilean nan Treun a cheannsachadh agus gu bheil e a-nis 'na Rìgh ann an Lunnainn.''

''Agus dè,'' dh'fhaighnich iad, ''a dh'èirich do Charadog mac Bhran agus dha na daoine a chaidh fhàgail còmhla ris air an eilean seo?''

''Thàinig Caswallon orra agus mharbh e sianar dhiubh. Agus bhrist cridhe Charadog leis a' bhròn, oir chitheadh e claidheamh a' bualadh ach cha robh fhios aige cò a bha ga dhèanamh. Bha cleòca draoidheachd air Caswallon, agus chan fhaiceadh duine e a' bualadh nan daoine: chan fhaiceadh iad ach an claidheamh aige. Cha robh Caswallon airson Caradog fhèin a mharbhadh air sgàth gu robh e fhèin is athair Charadog anns na h-oghaichean.''

Leis a sin, chaidh iad a Harlech, far an do dh'fhuirich iad. Agus thòisich iad air biadh a ghabhail. Cho luath 's a thòisich iad air ithe 's air òl thàinig trì eòin agus thòisich iad air òrain a ghabhail dhaibh. Agus bha gach òran a bha iad riamh air a chluinntinn mì-chàilear an taca ris an t-seinn seo. Dh'fheumadh iad sealltainn fada mach os cionn na mara mu faiceadh iad na h-eòin; agus a dh'aindeoin sin bha iad cho soilleir dhaibh 's ged a bhiodh iad an sin còmhla riutha. Agus dh'fhuirich iad an sin, ri fleadhachas, fad sheachd bliadhna.

Aig deireadh na seachdaimh bliadhna rinn iad air Gwales ann am Penfro. Agus bhathar air lùchairt rìoghail ghrinn ullachadh dhaibh an sin; 's e talla mhòr a bh'innte. Chaidh iadsan a-steach dhan talla. Chitheadh iad dà dhoras fosgailte. Bha an treas doras dùinte, agus sin an doras a bha mu choinneamh na Cùirn.

''A bheil sibh a' faicinn an rud a tha staigh an siud?'' arsa Manawydan. ''Siud an doras nach robh againn ri fhosgladh.”

Agus air an fheasgar sin bha an leòr aca dhen a h-uile rud agus bha cùisean taitneach leotha. Is a dh’aindeoin na h-àmhghair mhòir a bha iad air fhaicinn is a dh’aindeoin a’ chràidh a bha iad air fhulang, cha robh cuimhn’ aca air, no air bròn sam bith.

Dh’fhuirich iad an sin fad cheithir fichead bliadhna. Agus cha do shaoil duin’ aca gu robh e air àm a bu tlachdmhoire no a b’aoibhniche na seo a chur seachad riamh. Bha e cho suaimhneach leotha ’s a bha e nuair a thàinig iad ann. Agus cha toireadh coltas a chèile air duin’ aca saoilsinn gu robh iad air a bhith ann cho fada. Bha e cho càilear dhaibh an ceann a bhith ’nan cuideachd ’s a bha e nuair a bha Bendigeidfran air a bhith beò còmhla riutha. Agus air sgàth a’ cheithir fichead bliadhna seo ’s e a chante ris an àm seo ‘Cuirm a’ Chinn Uasail.’

Ach seo a rinn Heilyn mac Ghwyn aon latha: “Mo nàir’ orm,” ars’ esan, “mura fosgail mi an doras feuch a bheil na thathar a’ ràdh mu dheidhinn fìor.”

Siud gun do dh’fhosgail e an doras agus choimhead e a-null air a’ Chùirn agus air Aber Henfelen. Agus nuair a choimhead, bha na thachair riutha de dh’àmhghair, is na chaill iad de chàirdean ’s de luchd-eòlais, is gach olc a dh’èirich dhaibh, a cheart cho soilleir dhaibh ’s ged a bhiodh iad dìreach air tachairt dhaibh an sin. Agus bha a’ chuimhne a bh’aca air an tighearna na bu ghèire na a h-uile dad eile. O sin a-mach cha b’urrainn dhaibh fuireach ann, agus chaidh iad a dh’ionnsaigh Lunnainn, is thug iad an ceann leotha. Mu dheireadh ràinig iad Lunnainn agus thiodhlaic iad an ceann sa Chnoc Bhàn.

Agus sin mar a tha a’ gheug seo dhen Mhabinogi a’ crìochnachadh.

MANAWYDAN

MANAWYDAN MAC LLŶR

An deaghaidh dhan t-seachdnar fhear air an tug sinn iomradh ann an sgeulachd Branwen ceann Bhendigeidfran a thiodhlacadh anns a' Chnoc Bhàn an Lunnainn, is aghaidh ris an Fhraing, choimhead Manawydan air baile Lunnainn agus air a chàirdean agus leig e osna mhòr is dh'fhàs e glè thùrsach is làn dhen chianalas.

"O Dhè Uile-chumhachdaich, mo thruaighe mise!" thuirt e. "Tha àite aig a h-uile duine dha fhèin a-nochd ach agamsa."

"A thighearna," arsa Pryderi, "na bi cho tùrsach. Tha thu fhèin is Rìgh Eilean nan Treun sna h-oghaichean, agus ged a rinn e cron ort, cha robh thusa riamh 'nad dhuine a bhiodh ag agairt fearainn is talmhainn dhut fhèin. 'S e a th'annad ach duine sèimh."

"Seadh," thuirt esan, "ged a tha sinn sna h-oghaichean, tha e 'na adhbhar mulaid dhomh duine sam bith a bhith an àite Bhendigeidfran mo bhràthair, agus cha bhithinn toilichte san aon taigh ri Caswallon sin."

"An gabh thu comhairle bhuam?" dh'fhaighnich Pryderi.

"Tha mi feumach air comhairle air choreigin," thuirt e. "Dè a' chomhairle a th'agad?"

"Dh'fhàgadh seachd sgìrean Dhyfed agamsa," arsa Pryderi, "agus tha mo mhàthair, Rhiannon, an sin fhathast. Bheir mi Rhiannon dhut mar bhean agus bheir mi cuideachd tighearnas air na seachd sgìrean dhut. Agus ged nach bi agad de dh'fhearann ach na seachd sgìrean sin, chan eil sgìrean ann as fheàrr na iad. 'S e Cigfa, nighean Ghwyn Chlis, a tha pòsda agamsa. Agus ged a bhios an rìoghachd 'nam ainm-sa, faodaidh tusa is Rhiannon dèanamh leatha mar a thogras sibh. Ma bha rìoghachd riamh a dhìth ort, tha gu leòr ann as miosa na sgìrean Dhyfed."

"Chan eil fearann sam bith eile a dhìth orm, a thighearna," thuirt Manawydan. "Dia a bhith math dhut airson a bhith 'nad charaid cho math."

"Bidh mise 'nam charaid cho math 's as urrainn dhomh, mas e sin a tha thu ag iarraidh."

"'S e, gu deimhinne, a charaid," thuirt e. "Agus thig mi còmhla riut a choimhead air Rhiannon agus a thoirt sùil air an tighearnas."

"Tha thu a' dèanamh an rud cheart," thuirt Pryderi. "Cha chreid mi gum bi thu air tè cho comasach gu bruidhinn a chluinntinn riamh. Agus cha robh tè ann a bu bhrèagha na i 'na latha; agus fiù 's an dràsda fhèin cha saoil thu nach eil i glè bhòidheach."

Dh'fhalbh iad air an t-slighe agus mu dheireadh ràinig iad Dyfed. Agus bhathar air cuirm a dheasachadh dhaibh an Arberth, cuirm air a h-ullachadh le Rhiannon agus Cigfa.

Shuidh iad còmhla ri chèile, agus siud Manawydan agus Rhiannon a' tòiseachadh air còmhradh. Agus fhad 's a bha e a' bruidhinn rithe, dh'fhàs e bàidheil dha taobh is e a' smaoineachadh, le taitneas, nach robh e air boireannach na bu bhrèagha fhaicinn riamh.

"A Phryderi," thuirt Manawydan, "aontaichidh mi leis an rud a thubhairt thu."

"Dè bha sin?" dh'fhaighnich Rhiannon.

"A bhean-uasal," arsa Pryderi, "tha mi air ur toirt 'nur bean do Mhanawydan mac Llŷr."

"Thèid mise leis a sin gu sona," arsa Rhiannon.

"Tha mi toilichte as a sin," arsa Manawydan, "agus Dia a bhith math dhut, a Phryderi, airson a bhith 'nad leithid de dheagh charaid."

Mun tàinig a' chuirm sin gu crìch phòs an dithis aca.

"Na th'air fhàgail dhen chuirm," thuirt Pryderi, "cuiribh crìoch air, is thèid mise a thoirt ùmhlachd do Chaswallon mac Bheli an Sasainn."

"A thighearna," thuirt Rhiannon, "tha Caswallon ann an Ceant, agus faodaidh tu fuireach aig a' chuirm gus am bi e nas fhaisge."

"Ma tha, fuirichidh sinn," thuirt esan.

Agus chuir iad crìoch air a' chuirm agus thòisich iad air siubhal tro Dhyfed agus air sealg 's air an ùine a chur seachad gu càilear.

Shiubhail iad tron dùthaich, is cha robh iad riamh air àite fhaicinn a bu tlachdmhoire gu bhith fuireach ann, no dùthaich a b'fheàrr airson a bhith sealg innte, no tìr a bu mhotha a bha de mhil 's de dh'iasg innte na i siud. Agus ri linn seo uile bha a leithid de chàirdeas eadar an ceathrar aca 's nach robh a h-aon aca a dh'iarradh a bhith as aonais chàich a latha no dh'oidhche.

Fhad 's a bha seo a' dol chaidh Pryderi a thoirt ùmhlachd do Chaswallon aig Ath nan Damh. Chuireadh fàilt' air gu sona, is le taingealachd airson na h-ùmhlachd. Agus an deaghaidh dha tilleadh bha fleadhachas aig Pryderi is Manawydan còmhla is chuir iad an ùine seachad gu fìor thlachdmhor.

Chuir iad cuirm air chois ann an Arberth, a chionn 's gum b'e sin a' phrìomh chùirt agus a chionn 's gur h-ann an sin a bhiodh gach rud cudthromach a' tòiseachadh.

Agus an deaghaidh dhan chiad fheadhainn a shuidh èirigh, is fhad 's a bha na seirbhisich a' gabhail am bìdh, chaidh iadsan a-mach. Agus chaidh an ceathrar, is sluagh mòr còmhla riutha, gu Cnoc no Rìgh-chathair Arberth. Fhad 's a bha iad 'nan suidhe an sin, chual' iad fuaim; agus leis an fhuaim thàinig ceò tiugh, air dhòigh 's nach fhaiceadh iad a chèile. Agus an deaghaidh a' cheò dh'fhàs a h-uile h-àite soilleir. Agus nuair a sheall iad an taobh a bha na treudan 's na grèighean bheathaichean 's na taighean air a bhith, chan fhaiceadh iad dad idir ann. Chan fhaiceadh iad beathach, no ceò, no teine, no duine, no taigh sam bith – ach dìreach taighean na cùrtach, is bha iad sin falamh, fàs, gun duine beò annta. Bha a' chuideachd gu lèir – ach an ceathrar aca fhèin – air a dhol as an t-sealladh, 's gun sgeul orra.

"O, a Thighearna Dia," arsa Manawydan, "càit a bheil muinntir na cùrtach 's ar companaich? Thugnaibh a choimhead."

Thàinig iad chun na cùrtach: cha robh anam beò an sin. Chaidh iad dha na seòmraichean cadail: cha robh sgeul air duine. Ann an seilear an fhìon, anns a' chidsin – cha robh dad ach falamhachd annta sin.

An ceann treis 's ann a thòisich an ceathrar aca air biadh na cuirm ithe, 's air sealg 's rudan a chòrdadh riutha a dhèanamh. Agus thòisich iad air siubhal tron rìoghachd feuch an robh taigh no àite-còmhnaidh air fhàgail innte, ach cha robh innte ach beathaichean fiadhaich. An deaghaidh dhaibh crìoch a chur air a' chuirm 's air na chaidh a dheasachadh, thòisich iad air na gheibheadh iad o shealgaireachd ithe, is iasg is mil o sgaothan sheilleanan fiadhaich. Agus bha iad glè riaraichte leis a seo fad dà bhliadhna, is fad bliadhn' eile. Ach mu dheireadh dh'fhàs iad sgìth dheth.

"Faodaidh sibh a bhith cinnteach," arsa Manawydan, "nach urrainn dhuinn a bhith beò mar seo. Thèid sinn a Shasainn feuch an coisinn sinn beòshlaint."

A Shasainn gun deach iad, is thàinig iad gu Hereford is thòisich iad air dèanamh dhìollaidean. Agus thòisich Manawydan air goban nan dìollaidean a dhèanamh agus air dath a chur orra, mar a dh'ionnsaich e o Llasar na h-Iomlaid Sheòlta, le cruan gorm. Theann iad air an cruan gorm a dhèanamh mar a bhiodh Llasar ga dhèanamh. Fhad 's a gheibhte dìollaidean cho math seo o Mhanawydan, cha cheannaicheadh duine gob dìollaid no dìollaid fhein o dhìolladair eile an àite sam bith ann a Hereford. Chunnaic na dìolladairean uile gu robh iad a' call am beòshlaint agus nach ceannaicheadh duine bhuapa, ach nuair nach robh dad ri fhaighinn o Mhanawydan. Leis a sin, thàinig iad cruinn agus dh'aontaich iad Manwydan agus a chàirdean a mharbhadh. Ach dìreach an uair sin fhuair iadsan rabhadh mun fhoill a bhathar a' dealbh agus chomhairlicheadh dhaibh am baile fhàgail.

"Tha Dia 'na fhianais," arsa Pryderi, "nach eil mi airson gu fàg sinn am baile seo, ach gu marbh sinn na h-uilc ud."

Chuir Marawydan an aghaidh seo. "Nan rachamaid a shabaid riutha cha bhiodh againn ach droch cliù agus rachadh ar sadail dhan phrìosan. Tha e nas fheàrr dhuinn a dhol gu baile eile a chosnadh ar beòshlaint."

Chaidh an ceathrar aca an uair sin a dh'àite eile.

"Dè a' chèaird a bhios againn an seo?" dh'fhaighnich Pryderi.

"Nì sinn sgiathan airson shaighdearan," arsa Manawydan.

"A bheil eòlas sam bith againn air an obair sin?" dh'fhaighnich Pryderi.

"Feuchaidh sinn i co-dhiùbh," ars' esan.

Agus thòisich iad air obair nan sgiathan, agus chuir iad dath orra leis an dath a chuir iad air na dìollaidean.

Shoirbhich cho math leotha leis an obair seo 's nach ceannaicheadh duine air feadh a' bhaile sgiath ach an deaghaidh dha failleachdainn air tè fhaighinn acasan. Dh'obraich iad gu sgiobalta is rinn iad mòran sgiathan. Lean iad orra mar seo gus an do ghabh muinntir a' bhaile an fhearg riutha 's gus an do dh'aontaich iad am marbhadh. Ach chaidh rabhadh a thoirt dhaibh, agus thàinig fathann thuca gu robh feadhainn a' dol gam marbhadh.

"A Phryderi," arsa Manawydan, "tha na daoin' ud airson a' bheatha a thoirt dhinn."

"Cha leig sinn a leas dad fhulang o na slaightirean ud. Bheir sinn ionnsaigh orra 's marbhaidh sinn iad."

"Cha toir idir," arsa Manawydan. "Chluinneadh Caswallon 's a dhaoine mu dheidhinn sin, 's chuireadh sin crìoch oirnne. 'S ann a thèid sinn gu baile eile."

Agus sin a rinn iad. "Dè a' chèaird a bhios againn an seo?" dh'fhaighnich Manawydan.

"Cèaird sam bith a thogras tu as na 's aithne dhut," thuirt Pryderi.

"Chan e," ars' esan. "'S ann a dh'fheuchas sinn cèaird na greusachd. Cha bhi de mhisneachd aig greusaichean na nì sabaid 'nar n-aghaidh no a chuireas stad oirnn."

"Chan eil eòlas sam bith agam air a' chèaird sin," thuirt Pryderi.

"Tha agamsa, ge-ta," thuirt Manawydan, "agus ionnsaichidh mi dhut mar a dh'fhuaghaileas tu. Agus cha ghabh sinn dragh an leathar a ghrèidheadh —

48

Dyfed fo Dhraoidheachd

ceannaichidh sinn e 's e air a ghrèidheadh mu thràth, agus obraichidh sinn leis mar sin.''

Agus thòisich e air leathar Spàinneach a cheannach, am fear a b'fheàrr a gheibheadh e sa bhaile. Cha cheannaicheadh Manawydan leathar sam bith eile – ach dìreach leathar buinn nam bròg. Thòisich e an uair sin air ùine a chur seachad còmhla ris an òr-cheàrd a b'fheàrr sa bhaile, agus fhuair e bucaill air an dèanamh dha na brògan a bha air an òradh (no air an còmhdach le òr). Agus choimhead e le deagh aire air an òr-cheàrd a' dèanamh a chuid obrach gus an robh e fhèin ealanta air a' chèaird.

Fhad 's a bha bròg de sheòrsa sam bith ri faighinn bhuaithesan, cha cheannaicheadh duine gin o ghreusaiche eile sa bhaile. Agus thuig na greusaichean gu robh gnothaichean a' dol 'nan aghaidh, oir mar a ghearradh Manawydan an leathar dh'fhuaghaileadh Pryderi e. Thàinig na greusaichean cruinn feuch dè a bha iad a' dol a dhèanamh, agus dh'aontaich iad Manawydan agus Pryderi a mharbhadh.

''A Phryderi,'' arsa Manawydan, ''tha dùil aig na daoine sin ar marbhadh.''

''Carson a bhiomaid a' fulang air sgàth nan eucorach 's nam mèirleach sin,'' dh'fhaighnich Pryderi, ''an àite am marbhadh uile?''

''Cha dèan sinn sin idir,'' arsa Manawydan. ''Cha tèid sinn a shabaid riutha idir, 's chan fhuirich sinn an Sasainn nas fhaide. Thèid sinn a Dhyfed a rannsachadh na rìoghachd.''

Mu dheireadh ràinig iad Dyfed, is chaidh iad gu Arberth. Agus thog iad teine is theann iad air ithe 's air sealg; agus chuir iad mìos seachad mar seo. Chruinnich iad an coin thuca is chaidh iad a shealg, agus bha iad beò mar sin fad bliadhna.

Aon mhadainn, dh'èirich Pryderi 's Manawydan airson a dhol a shealg, agus dh'ullaich iad na coin agus chaidh iad a-mach as a' chùirt. Chaidh feadhainn dhe na coin air thoiseach orra agus chaidh iad a-steach do bhad beag coille a bha faisg orra. Agus cho luath 's a chaidh iad ann thill iad as gu h-ealamh 's an calg ag èirigh orra, is thàinig iad air ais far an robh na fir. ''Thèid sinn nas fhaisge air a' bhad coille,'' thuirt Pryderi, ''feuch dè a th'ann.''

Thàinig iad na b'fhaisge air. Agus nuair a bha iad a' tighinn faisg air, ruith torc fiadhaich geal a-mach as. Stuig na fir na coin feuch an toireadh iad ionnsaigh air an torc. Dh'fhàg an torc am bad coille agus theich e astar beag o na fir. Agus mura biodh na fir faisg air, thionndaidheadh an torc is bheireadh e an aghaidh air na coin is cha teicheadh e bhuapa; agus nuair a thigeadh na fir theicheadh e a-rithist is cha seasadh e far an robh e idir.

Lean iad an torc gus am fac' iad dùn mòr uabhasach àrd, is coltas gu robhar air a bhith 'g obair air o chionn ghoirid – agus sin an àite far nach robh iad air creag no togalach fhaicinn riamh. Siud an torc a' dol gu luath dhan dùn, is na coin as a dheaghaidh. Nuair a chaidh an torc 's na coin dhan dùn, bha iongnadh air na fir an dùn fhaicinn an àite far nach robh iad air togalach sam bith fhaicinn roimhe seo. Sheall iad sìos o mhullach a' chnuic air an robh e, 's iad ag èisdeachd feuch an cluinneadh iad na coin. Ach ged a dh'fhuirich iad an sin, cha chual' iad gin dhe na coin 's chan fhac' iad an coltas.

''A thighearna,'' thuirt Pyrderi, ''thèid mi dhan dùn feuch a bheil sgeul air na coin.''

''Gu dearbha,'' arsa Manawydan, ''chan e rud math a bhiodh an sin idir. Chan fhaca sinn an dùn seo an seo riamh roimhe. Agus ma ghabhas tu comhairle bhuamsa,

A' Sealg an Tuirc

cha tèid thu a-steach ann idir. Ge b'e cò a chuir an dùthaich seo fo dhraoidheachd, 's e a thug air an dùn seo nochdadh an seo."

"Creid thusa," arsa Pryderi, "nach eil mise a' dol a dh'fhàgail mo chuid chon idir."

Agus a dh'aindeoin na comhairle a thug Manawydan air Pryderi, dh'fheumadh esan a dhol dhan dùn.

Nuair a chaidh e ann, cha robh duine no creutair 'na bhroinn, no an torc, no na coin, no taigh, no àite-còmhnaidh. Thall mu mheadhan an ùrlair chitheadh e tobar, is màrmor air obrachadh timcheall air. Agus dìreach ri taobh an tobair chitheadh e coire is ceithir slabhraidhean ga chumail, agus bha seo uile os cionn leac mhàrmoir. Agus bha na slabhraidhean a' dol suas dhan adhar, is chan fhaiceadh e ceann orra idir. Thòiseach e air toileachadh a dhèanamh dha cho àlainn 's a bha an t-òr agus cho eireachdail 's a bha an coire air a dhealbh. Thàinig e chun a' choire is rug e air. Ach cho luath 's a rug e air a' choire, cha b'urrainn dha a làmhan a thoirt dheth, is cha b'urrainn dha a chasan a ghluasad on bhad sin dhen mhàrmor air an robh e 'na sheasamh, is chaill e a ghuth air dhòigh 's nach b'urrainn dha aon fhacal a ràdh. Cha b'urrainn dha ach seasamh an sin far an robh e.

Dh'fhuirich Manawydan ris gus an robh an latha gu bhith seachad. Gu h-anmoch air an fheasgar, nuair a bha e cinnteach nach fhaigheadh e iomradh air Pryderi no air na coin, chaidh e air ais chun na cùrtach. Nuair a ràinig e sheall Rhiannon air.

"Càit," ars' ise, "a bheil do chompanach 's do choin?"

"Seo," ars' esan, "mar a thachair . . ." Agus dh'innis e a h-uile rud a bh'ann dhi.

"Gu deimhinne," arsa Rhiannon, "tha thu air a bhith 'nad dhroch caraid, agus tha thu air an deagh chompanach a chall."

Le na faclan sin, a-mach gun tug i, agus an taobh a bha Manawydan air a ràdh a bha an dùn gun deach i.

Chunnaic i cachaileith an dùin fosgailte, agus a-steach leatha. Cho luath 's a ràinig i, chunnaic i Pryderi is greim aige air a' choire, is chaidh i thuige.

"Och, a thighearna," thuirt i, "dè tha thu dèanamh?"

Siud gun do rug i air a' choire còmhla ris. Agus cho luath 's a rug i air cha b'urrainn dhi a làmhan a thoirt bhàrr a' choire is cha b'urrainn dhi a casan a ghluasad on chnap màrmoir, is cha b'urrainn dhi aon fhacal a ràdh. An uair sin, nuair a thàinig an oidhche, bha fuaim mòr timcheall orra, is chaidh iad fhèin 's an dùn as an t-sealladh.

Nuair a chunnaic Cigfa nighean Ghwyn Chlis, bean Phryderi, nach robh duine sa chùirt ach i fhèin is Manawydan, thòisich i air caoineadh mar gum biodh i dol a bhàsachadh. Agus ghabh Manawydan beachd air a seo gu lèir.

"Gu fìrinneach," thuirt e, "tha thu air do mhealladh ma tha thu a' caoineadh airson gu bheil eagal agad romhamsa. Tha Dia 'na fhianais nach fhaca tu riamh caraid as laghaiche na mise. Na biodh eagal sam bith ort," thuirt e. "Bidh mise 'nam charaid agad fhad 's a tha sinn sa chàs 's anns an àmhghair a tha seo."

"Dia a bhith math dhut," thuirt i. "'S ann mar sin a bha mi smaoineachadh a bhitheadh."

Agus an uair sin, air sgàth seo, dh'fhàs am boireannach òg na bu toilichte 's na bu mhisneachaile dhith fhèin.

"Gu dearbha, a luaidh," thuirt Manawydan, "chan e àite-fuirich freagarrach a tha seo dhuinn idir. Tha sinn air na coin a chall, is cha tèid againn air biadh fhaighinn. Nì

Cleachdte ri Bhith 'g Iasgach

sinn air Sasainn – tha e gu math nas fhasa biadh fhaighinn an sin."

"Nì sinn sin, a thighearna," thuirt i, "gu toilichte." Agus chaidh iad a Shasainn còmhla.

"A thighearna," thuirt i, "ge b'e cò a' chèaird a tha thu a' dol a chleachdadh, tagh tè a tha glan."

"Cha ghabh mi cèaird," thuirt e, "ach a' ghreusachd, mar a rinn mi roimhe."

"A thighearna," thuirt i, "chan eil a' chèaird sin glan gu leòr do dhuine cho ealanta 's cho uasal riutsa."

"Siud an tè a chleachdas mi," thuirt e.

Agus thòisich e air a' chèaird agus bha e a' cleachdadh an leathair a b'fheàrr a gheibheadh e sa bhaile 'na obair. Agus mar a thòisich iad anns an àit' eile, thòisich e air bucaill òir a dhèanamh dha na brògan, gus an robh obair gach greusaiche sa bhaile a' coimhead truagh is beag an taca ri obair Mhanawydan. Agus fhad 's a bha bròg de sheòrsa sam bith ri faighinn bhuaithesan, cha cheannaicheadh duine bròg o dhuin' eile.

Chuir e bliadhna seachad mar seo, gus an robh eud is farmad aig na greusaichean ris, agus gus an tàinig rabhaidhean is sanaisean thuige gu robh na greusaichean air aontachadh a mharbhadh.

"A thighearna," thuirt Cigfa, "carson a bhite a' fulang a leithid seo o na h-uilc ud?"

"Chan e," thuirt e. "Thèid sinn a Dhyfed a dh'aindeoin gnothaich."

Chuir iad an aghaidh air Dyfed. Agus 's e a rinn Manawydan, 's e falbh, ach tomhas cruithneachd a thoirt leis. Rinn e air Arberth, is dh'fhuirich e ann. Agus cha robh dad a bu tlachdmhoire leis na Arberth fhaicinn, 's an dùthaich anns an robh e fhèin is Pryderi a' sealg, is Rhiannon còmhla riutha.

Thòisich e air fàs cleachdte ri bhith 'g iasgach 's a' sealg ann. An deaghaidh sin thòisich e air fearann àiteach; agus an deaghaidh sin air sìol a chur ann an achadh, agus an uair sin ann am fear eile, 's anns an treas fear. Thàinig a' chruithneachd am bàrr gu h-eireachdail, agus shoirbhich mar sin le trì achaidhean Mhanawydan, gus nach robh duine air cruithneachd na b'fheàrr fhaicinn.

Chuir e seachad a' bhliadhna, ràith as deaghaidh ràithe, is an uair sin thàinig àm na buana. Chaidh Manawydan a choimhead air fear dhe na h-achaidhean aige. Bha e abaich.

"Thig mi a bhuain seo a-màireach," thuirt e. Agus thill e a dh'Arberth an oidhche sin.

Tràth air madainn an latharna-mhàireach gun tàinig e, is dùil aige an t-achadh a bhuain. Nuair a ràinig e, cha robh dad ann ach na sopan loma, is a h-uile gasan air a bhristeadh far am bu chòir dhan dèis a bhith. Is bhathar air falbh leis na diasan cruithneachd air fad, is air na gasain fhàgail lom an siud.

Chuir seo iongnadh mòr air, is chaidh e a choimhead air achadh eile. Bha am fear sin gu brèagha, abaich.

"Gu dearbha," thuirt e, "thig mi a bhuain seo a-màireach."

Thàinig e air an ath latha, is làn-dhùil aige a bhuain. Ach nuair a ràinig e, cha robh ann ach na sopan loma.

"Gu sealladh Nì Math orm," thuirt e, "cò a tha dol gam sgrios uile-gu-lèir?... A! Tha fhios a'm – ge b'r'ith cò a thòisich air mo sgrios. Tha e a' dol a chur crìoch air a chuid cosnaidh. Agus 's esan a tha air an tìr seo a sgrios mar a tha e air mise a sgrios."

Manawydan a' Greusachd

An uair sin chaidh e a choimhead air an treas achadh. Nuair a ràinig e am fear sin, bha cruithneachd ann nach fhacas riamh na b'fheàrr, is bha i brèagha, abaich.

"Bidh e nàr dhomh," thuirt e, "mura dèan mi faire a-nochd. Ge b'e cò a ghoid a' chruithneachd eile, thig e ga goid seo cuideachd. Agus gheibh mi mach cò."

Thug e leis a chuid armachd is rinn e deiseil airson faire a dhèanamh air an achadh. Dh'innis e seo uile do Chigfa.

"Seadh," ars' ise, "dè tha cur dragh ort?"

"Cumaidh mi sùil air an achadh a-nochd," thuirt e.

Dh'fhalbh e. Agus nuair a bha e ri faire mar seo aig meadhan-oidhche, chualas am fuaim a bu chruaidhe a bh'ann riamh; agus sheall e. Dè a b'ann ach an sgaoth a b'uabhasaiche de luchain! Cha ghabhadh am meudachd tomhas, no na bh'ann dhiubh! Cha do thuig esan dè bha tachairt gus an do rinn iad air an achadh aige, far

55

an do streap gach tè dhiubh suas air gasan gus an do lùb e fo cudthrom, agus an uair sin bhrist i dheth am bàrr is dh'fhalbh i le na diasan is cha do dh'fhàg i as a deaghaidh ach sop. Agus shaoileadh duine nach robh aon ghasan fhèin ann gun luch 'na bhàrr. Is bha na luchain a' toirt leotha na cruithneachd. An uair sin, 's an fhearg ga dhalladh, ruith Manawydan a-steach 'nam measg. Cha bu mhotha a b'urrainn dha a shùil a chumail air aon tè dhiubh na b'urrainn dha a shùil a chumail air aon mheanbhchuileig no aon eun anns an adhar. Ach chitheadh e aon luch a bha cho trom 's nach robh e smaoineachadh gum b'urrainn dhi falbh cho luath. Siud e as a deaghaidh is rug e oirre. Chuir e 'na mhiotaig i is cheangail e i le sreang airson an luch a chumail 'na broinn, agus rinn e'n uair sin air a' chùirt.

Thàinig e far an robh Cigfa sa chùirt, is thog e teine. Chroch e a' mhiotag air bioran sa bhalla.

"Dè tha sin, a thighearna?" dh'fhaighnich Cigfa.

"Tha mèirleach," thuirt e, "a ghlac mise 's i goid orm."

"Dè an seòrsa mèirlich a chuireadh tu 'nad mhiotaig, a thighearna?" dh'fhaighnich ise.

"Seo mar a thachair," thuirt e, is dh'innis e dhi mar a chaidh na h-achaidhean aige a mhilleadh 's a sgrios, is mar a bha na luchain air tighinn chun an achaidh mu dheireadh fhad 's a bha e fhèin ri faire.

"Is bha tè dhiubh trom, is ghlac mi i, agus sin an tè a tha sa mhiotaig. Agus tha mi dol ga crochadh a-màireach. Tha Dia 'na fhianais, nam bithinn air an glacadh air fad, gun crochainn iad air fad."

"'S beag an t-iongnadh, a thighearna!" thuirt i. ". . . Ach an deaghaidh sin, chan eil e ro chiatach duine leis an inbhe a th'agadsa fhaicinn a' crochadh creutair mar sin. 'S ann a b'fheàrr dhut gun dad a dhèanamh air a' chreutair agus a leigeil air falbh."

"Bhiodh e nàr dhòmhsa," thuirt e, "mura crochainn iad air fad nam b'urrainn dhomh an glacadh! Ach an tè a *tha* mi air a ghlacadh – crochaidh mi ise."

"Glè mhath, a thighearna. Chan eil adhbhar sam bith agamsa air am beathach sin a chuideachadh – ach dìreach air eagal 's gu faigheadh tu droch cliù. Ach dèan thusa mar a thogras tu, a thighearna."

"Nan robh fhios agamsa air adhbhar air an talamh a bhith agad air am beathach ud a chuideachadh," thuirt e, "ghabhainn do chomhairle, ach a chionn 's nach eil, a bhean-uasal, tha dùil agam cur as dhi."

"Dèan-sa sin – 's e do bheatha," thuirt i.

An uair sin chaidh Manawydan gu Rìgh-chathair Arberth, is thug e an luch leis. Stob e dà bhioran gobhlach dhan bhad a b'àirde dhen chnoc. Fhad 's a bha e an sàs an sin, chitheadh e clèireach a' tighinn dha ionnsaigh, is seann aodach truagh air, is e air fàs lom. Agus bha seachd bliadhna air a dhol seachad o bha Manawydan air duine no ainmhidh fhaicinn ann an Dyfed a bharrachd air a chàirdean.

"Latha math dhut, a thighearna," thuirt an clèireach.

"Dia gu soirbhicheadh leat fhèin, agus fàilt' ort," arsa Manawydan. An uair sin dh'fhaighnich e dha, "Cia as a tha thu, a chlèirich?"

"Tha mi air tighinn a Sasainn, a thighearna. Tha mi air a bhith seinn an sin," fhreagair am fear eile. "Agus carson a tha thu a' faighneachd, a thighearna?" thuirt e.

"Mu faca mi thusa, cha robh mi air duine fhaicinn an seo," thuirt e, "fad sheachd bliadhna, a bharrachd air triùir eile – is tha iadsan a-nis air an dealachadh o chèile."

"Seadh, a thighearna," thuirt esan, "tha mise a' dol tron dùthaich seo an dràsda air mo rathad gu mo dhùthaich fhìn. Agus dè an seòrs' obrach a tha thu a' dèanamh, a thighearna?"

"A' crochadh a' mhèirlich a ghlac mi 's i goid orm," thuirt e.

"Cò am mèirleach, a thighearna?" dh'fhaighnich e. "Chan fhaic mise ach beathach 'nad làimh, beathach coltach ri luch, agus 's olc a thig e do dhuine cho uasal riutsa gnothach a bhith agad ri creutair mar sin. Leig air falbh i."

"Tha Dia 'na fhianais nach leig," ars' esan. "Ghlac mi i a' goid, agus nì mi oirre a rèir lagh na mèirle – a crochadh."

"A thighearna," thuirt am fear eile, "gun duin'-uasal mar a tha thu fhèin a bhith ri obair dhen t-seòrsa sin, tha not agam an seo – fhuair mi e 's mi falbh 'nam dhèirceach – agus bheir mi dhut e ma leigeas tu air falbh am beathach."

"Cha dèan mi sin idir – tha Dia 'na fhianais; cha reic mi idir i."

"Dèan mar a thogras tu, a thighearna," thuirt e, "is mura b'e cho sgreamhail 's a tha e duine dhe do leithid fhaicinn a' gabhail gnothach ri beathach mar sin, cha dèanadh e dragh sam bith dhòmhsa."

Is thug an clèireach an rathad air.

Nuair a bha Manawydan a' cur an tarsannain eadar biorain na croiche, thàinig sagart dha ionnsaigh air each brèagha.

"Latha math dhut, a thighearna," thuirt e.

"Dia gu soirbhicheadh leat," thuirt Manawydan. "Beannaich mi."

"Beannachd Dhè ort. Agus dè an seòrs' obrach ris a bheil thu, a thighearna?"

"A' crochadh a' mhèirlich a ghlac mi 's i goid orm," fhreagair e.

"Cò am mèirleach, a thighearna?" dh'fhaighnich e.

"Beathach," ars' esan, "an cumadh luch. Agus ghoid i rud ormsa – agus gheibh i bàs mèirlich bhuam."

"A thighearna, mu faicear thu bhith gabhail gnothach ris a' chreutair sin, ceannaichidh mi i. Leig air falbh i."

"Air mo mhionnan, cha reic mi i is cha leig mi air falbh i."

"Tha e fìor, a thighearna, nach fhiach i dad; ach mu faicear thu gad thruailleadh fhèin leis a' bheathach, bheir mi dhut trì notaichean ma leigeas tu air falbh i."

"Tha Dia 'na fhianais," thuirt e, "nach eil dad a dhìth ormsa ach an rud air a bheil i airidh – a crochadh."

"Ceart gu leòr, a thighearna – dèan mar a thogras tu."

Agus dh'fhalbh an sagart.

Chuir Manawydan an dul mu amhaich na luch. Agus nuair a bha e ga togail chunnaic e luchd-leanmhainn easbaig a' tighinn, is an àirneis; agus bha an t-easbaig fhèin a' tighinn far an robh e. Agus leig e bhuaithe an rud a bha e dèanamh.

"A thighearn' easbaig," thuirt e, "thoir dhomh do bheannachd."

"Dia gad bheannachadh," thuirt esan. "Dè an seòrs' obrach ris a bheil thu?"

"A' crochadh a' mhèirlich a ghlac mi 's i goid orm," arsa Manawydan.

"Nach e luch a tha mi faicinn 'nad làimh?" thuirt e.

"'S e," thuirt e, "mèirleach."

"Ma-tha," ars' an t-easbaig, "on a ràinig mi nuair a bhathar a' dol a chur as dhan bheathach sin, ceannaichidh mi bhuat i. Bheir mi seachd notaichean dhut oirre. Agus gus nach bi duin'-uasal mar a tha thu fhèin an sàs ann a bhith cur as do chreutair cho beag feum ris a sin, leig air falbh i, is gheibh thu an t-airgead."

"Cha leig idir – tha Dia 'na fhianais," thuirt e.

57

"O nach leig thu air falbh i air na tha sin, bheir mi dhut ceithir nota fichead an airgead ullamh – ma leigeas tu air falbh i."

"Cha leig idir, air mo mhionnan am fianais Dhè, ged a bhiodh a dhà uiread ann," thuirt e.

"O nach leig thu air falbh i air na tha sin," ars' an t-easbaig, "bheir mi dhut uimhir a dh'eich 's a chì thu air an raon seo, agus na seachd eallaich mu choinneamh nan each sin – seachd dhiubh."

"Cha ghabh mi sin idir – tha Dia 'na fhianais nach gabh," thuirt e.

"Seach nach gabh thu sin, dè na bhitheas an luch?"

"Bidh mi airson gu faigh Rhiannon is Pryderi an saorsa," thuirt e.

"Gheibh thu sin."

"Ach chan fhoghain sin dhomh – tha Dia 'na fhianais."

"Dè'n còrr tha dhìth ort?"

"Gun togar an draoidheachd 's an seun bhàrr seachd sgìrean Dhyfed."

"Gheibh thu sinn cuideachd – ma leigeas tu air falbh an luch."

"Chan fhoghain sin – tha Dia 'na fhianais. Feumaidh fhios a bhith agam cò a tha san luch."

"Tha mo bhean-sa, agus mura b'i mo bhean, cha bhithinn ag iarraidh gu faigheadh i mu sgaoil."

"Carson a thàinig i thugamsa?"

"A ghoid," ars' an t-easbaig. "'S mise Llwyd mac Chil Coed, agus 's mi a chuir seachd sgìrean Dhyfed fo dhraoidheachd. Rinn mi sin mar dhìoghaltas air sgàth a' chroin a rinneadh air mo charaid, Gwawl mac Chlud. Agus rinn mi dìoghaltas air Pryderi air sgàth a' chleas a rinneadh air Gwawl mac Chlud – oir 's e Pwyll, Rìgh Annwn, a rinn sin aig cuirt Hefeydd Aosda, rud nach robh glic dha. Nuair a chuala na saighdearan agamsa gu robh thusa a' fuireach san dùthaich aige, thàinig iad thugam is dh'iarr iad orm an cur an cruth luchain feuch an sgriosadh iad do chruithneachd. Cha tàinig ach na saighdearan a' chiad oidhche. Thàinig iad an ath oidhche cuideachd. 'S iadsan a sgrios an dà achadh. Ach air an treas oidhche thàinig mo bhean is mnathan-uaisle na cùrtach thugam 's iad ag iarraidh orm luchain a dhèanamh dhiùbhsan cuideachd; agus rinn mise sin dhaibh. Agus bha dùil aig mo bhean-sa ri leanabh; agus mura b'e gu robh, cha bhiodh tu air a glacadh idir. Ach a chionn 's nach ann mar sin a bha, 's gun deach a glacadh, bheir mi Rhiannon is Pryderi dhut is togaidh mi an draoidheachd 's an seun a th'air Dyfed. Agus a-nis, seach gun do dh'innis mi dhut cò a bha san luch, leig air falbh i."

"Cha leig – tha Dia 'na fhianais," arsa Manawydan.

"Dè tha thu 'g iarraidh?" dh'fhaighnich e.

"Tha," arsa Manawydan, "seo: nach bi seachd sgìrean Dhyfed fo dhraoidheachd, is nach cuirear iad fo dhraoidheachd gu bràth."

"Gheibh thu sin," thuirt e, "ach leig air falbh i."

"Cha leig – tha Dia 'na fhianais," arsa Manawydan.

"Dè tha thu 'g iarraidh?" dh'fhaighnich e.

"Tha," arsa Manawydan, "seo: nach dèanar dìoghaltas air Pryderi, no air Rhiannon, no ormsa gu bràth air sgàth seo."

"Gheibh thu sin air fad. Agus gu dearbha, tha e cho math dhut gun tug thu iomradh air a sin," thuirt esan. "Mura bitheadh tu air sin a dhèanamh," thuirt e, "bha fìor olc air èirigh dhut."

58

"Seadh," arsa Manawydan. "Sin bu choireach gun do dh'iarr mi e."

"Ach leig mo bhean mu sgaoil dhomh a-nis."

"Cha leig idir – tha Dia 'na fhianais – gus am faic mi Pryderi is Rhiannon 's iad saor còmhla rium."

"Seall, seo iad a' tighinn," thuirt e.

Leis a sin, nochd Pryderi is Rhiannon. Dh'èirich Manawydan 'nan coinneamh gus fàilte a chur orra, is shuidh iad còmhla ri chèile.

"A, a dhuine chòir, leig mu sgaoil mo bhean dhomh a-nis, 's tu air a h-uile rud a dh'iarr thu fhaighinn."

"Leigidh mi air falbh i gu toilichte," thuirt e.

Rinn e sin, is bhuail e i le shlait draoidheachd is thionndaidh e air ais i gu bhith 'na boireannach òg cho àlainn 's a chunnaic duine riamh.

"Thoir sùil timcheall ort air an dùthaich," arsa Llwyd mac Chil Coed, "agus chì thu gach taigh 's gach àite-còmhnaidh mar a bha iad nuair a b'fheàrr iad."

An uair sin sheas Manawydan is sheall e. Agus nuair a sheall e, chitheadh e an dùthaich air fad is sluagh a' fuireach innte, agus treudan na dùthcha 's a taighean innte gu h-iomlan.

Agus sin mar a tha a' gheug seo dhen Mhabinogi a' crìochnachadh.

Ag Iarraidh na Luch

MATH

MATH MAC MHATHONWY

Bha Math mac Mhathonwy 'na thighearna air Gwynedd, agus bha Pryderi mac Phwyll 'na thighearna air aon sgìre thar fhichead sa Cheann a Deas. Agus aig an àm a bha siud cha b'urrainn do Mhath mac Mhathonwy a bhith beò ach nuair a bha a chasan ann an uchd maighdinn – nas lugha na bhacadh troimhe-chèile cogaidh e o sin a dhèanamh. B'i a' mhaighdean Goewin nighean Phebin, a Dol Bebin an Arfon. Agus cha b'aithne do dhuine aig an àm sin maighdean a bu bhòidhche na i.

'S ann an Caer Dathl an Arfon a bha esan, Math, a' cur seachad a chuid ùine. Agus cha robh ùghdarras aig duine a dhol on chùirt air cuairtean feadh na dùthcha ach aig Gilfaethwy mac Dhon agus aig Gwydion mac Dhon, mic peathar Mhath. Bhiodh saighdearan na cùrtach a' falbh còmhla riutha 's iad a' dol timcheall na dùthcha as leth Mhath.

Bhiodh a' mhaighdean còmhla ri Math fad na h-ùine. Agus ghabh Gilfaethwy mac Dhon uiread de ghaol air Goewin 's nach robh fhios aige dè a dhèanadh e. Chaill e a dhreach 's a shnuadh agus dh'fhàs e tana leis na bha de ghaol aige oirre, gus an robh e doirbh aithneachadh gur h-e a bh'ann.

Aon latha thug Gwydion, a bhràthair, sùil gheur air. "Trobhad, 'ille," thuirt e, "dè th'air tachairt dhut?"

"Carson?" thuirt am fear eile ris. "Dè tha thu a' faicinn ceàrr ormsa?"

"Tha mi faicinn gu bheil thu a' call do dhreach 's do shnuaidh," thuirt Gwydion. "Dè th'air tachairt dhut?"

"A thighearna, 's a bhràthair," thuirt esan, "an rud a dh'èirich dhòmhsa – chan eil e gu feum sam bith dhomh guth a thoirt air ri duine."

"Carson sin, 'ille?" dh'fhaighnich e.

"Tha fhios agad," thuirt e, "mun bhuaidh shònraichte a th'aig Math mac Mhathonwy: ge b'r'ith cò air a bhios daoine a' cagarsaich eatarra fhèin, ma ghabhas e togail leis a' ghaoith idir, gheibh Math eòlas air."

"Dìreach," arsa Gwydion; "na can an còrr, oir tha fhios agamsa dè a tha cur riut – tha gaol agad air Goewin."

Nuair a chunnaic Gilfaethwy gu robh fhios aig a bhràthair dè bha cur ris, rinn e an osna a bu mhotha a chualas riamh.

"Na bi 'g osnaich idir, 'ille," thuirt Gwydion, "chan ann mar sin a ni thu'n gnothach idir. Seach nach tèid an gnothach a rèir ar miann air a' chòrr doigh," thuirt e, "bheir mise air saighdearan Ghwynedd agus Phowys is a' Chinn a Deas cruinneachadh air sgàth cogaidh feuch an gluais Math agus am faighear chun na h-ìnghne. Agus biodh sunnd ort – cuiridh mise an gnothach air dòigh."

Leis a sin, chaidh iad gu Math mac Mhathonwy.

"A thighearna," thuirt Gwydion, "tha mi air a bhith cluinntinn gu bheil beathaichean neònach air tighinn dhan Cheann a Deas nach robh an leithidean riamh air an eilean seo."

"Dè chanas iad riutha?" dh'fhaighnich Math.

"Mucan, a thighearna."

"Dè an seòrsa bheathaichean a th'annta?"

"Beathaichean beaga, agus tha an fheòil aca nas fheàrr na feòil mhart."

"Cò leis iad?"

"Tha iad le Pryderi mac Phwyll. Chaidh an cur thuige a Annwn le Arawn, Rìgh Annwn."

"Seadh dìreach," arsa Math. "Ciamar a bheir sinn bhuaith' iad?"

"Falbhaidh dà dhuine dheug, a thighearna, is mi fhìn air fear aca, agus sinn air ar còmhdach mar gum b'e bàird a bh'annainn, feuch am faigh sinn na mucan ud."

"Faodaidh e diùltadh," thuirt Math.

"'S e dòigh mhath a tha seo, ge-ta," arsa Gwydion. "Cha till mi as aonais nam muc."

"Gabh romhad, ma-tha," arsa Math. "'S e do bheatha."

Dh'fhalbh Gwydion is Gilfaethwy, is deichnear eile còmhla riutha, a Cheredigion, a dh'àite air a bheil Rhuddlan Teifi an-diugh – bha cùirt aig Pryderi an sin. Thàinig iad chun na cùrtach is aodach orra mar gum b'e bàird a bh'annta. Chuireadh fàilte mhòr orra. Agus chuireadh Gwydion 'na shuidhe ri taobh Phryderi an oidhche sin.

"Gu dearbha," thuirt Pryderi, "bu mhath leinn sgeulachdan fhaighinn o fheadhainn dhe na daoin' òga sin thall."

"Tha e 'na chleachdadh againne, a thighearna," arsa Gwydion, "gun innis am prìomh bhàrd sgeulachd air a' chiad oidhche nuair a thigear a choimhead air daoine mòra. Innsidh mise sgeulachd gu toilichte."

Agus b'e Gwydion fhèin an sgeulaiche a b'fheàrr air an t-saoghal. Chum e fearas-chuideachd is cur-seachad ris a' chùirt an oidhche sin le seanchas tlachdmhor is sgeulachdan, gus nach robh duin' air an robh barrachd meas anns a' chùirt, agus bha e 'na thlachd mòr do Phryderi a bhith còmhradh ris.

Agus aig deireadh na bh'ann, thuirt Gwydion, "A thighearna, a bheil duin' ann as fheàrr a thèid an ceann gnothaich na mi fhìn?"

"Gu dearbha, chan eil," thuirt Pryderi. "Tha teanga agad a tha air leth math."

"Seo mo ghnothach, a thighearna: feuchainn ri na mucan a chaidh a chur thugad a Annwn fhaighinn bhuat."

"Seadh," ars' esan, "sin an rud a b'fhasa air an t-saoghal a dhèanamh mura b'e gu bheil cùmhnant eadar mise 's mo rìoghachd dhan taobh, agus 's e sin nach eil aca ri falbh as a seo gus an tig a dhà uiread de dh'àl bhuapa 's a th'ann dhiubh fhèin."

"A thighearna," arsa Gwydion, "thèid agamsa air d'fhuasgladh on chùmhnant sin air an dòigh seo: na toir dhomh na mucan a-nochd, ach na diùlt iad nas mò. A-màireach seallaidh mi dhut *rudeigin 'nan àite*."

An oidhche sin chaidh Gwydion 's a chompanaich chun an àite-fuirich aca 's gun an gnothach air tighinn gu buil. "A, fhearaibh," arsa Gwydion, "chan fhaigh sinn na mucan ud dìreach le bhith gan iarraidh idir."

"Chan fhaigh, gun teagamh," thuirt iad, "ach dè an ìnnleachd leis am faigh sinn iad?"

"Nì mise cinnteach gu faigh sinn iad," arsa Gwydion.

Agus an uair sin chaidh e an sàs 'na chuid draoidheachd agus thòisich e air cumhachd a gheasachd a nochdadh. Le gheasachd rinn e dà each dheug o bhalgan-buachair, agus deich mial-choin, 's gach fear dhiubh dubh le broilleach bàn. Rinn e dusan coilear cuideachd, agus dusan iall; agus chanadh duine sam bith a chitheadh iad sin gur h-e òr a bh'annta gun teagamh. Rinn e dusan dìollaid dha na h-eich, is òr annta far am bu chòir dhan iarann a bhith; agus na srèinean cuideachd.

Chaidh Gwydion an uair sin far an robh Pryderi le na h-eich 's le na coin.

"Latha math dhut, a thighearna," thuirt e.

"Dia gu soirbhicheadh leat," arsa Pryderi, "agus fàilte romhad."

"A thighearna," thuirt esan, "seo dòigh air d'fhuasgladh on ghealltanas a thaobh nam muc air an tug thu iomradh a-raoir – nach *toireadh* tu *seachad* iad, is nach *reiceadh* tu iad: faodaidh tu *iomlaid* a dhèanamh orra air rud as fheàrr. Bheir mise dhut an dà each dheug seo mar a tha iad, len cuid acfhainn 's an dìollaidean 's an cuid choilearan 's an iallan – dìreach mar a tha iad mu do choinneamh – agus an dà sgèith dheug òir a chì thu an sin."

"Seadh dìreach," thuirt am fear eile. "Eisdidh mi ri comhairle a thaobh seo."

Agus 's e a shocraicheadh sa chomhairle gun toirte na mucan do Ghwydion agus gun gabhte na h-eich 's na coin 's na sgiathan mar iomlaid.

An uair sin fhuair Gwydion 's a chompanaich cead falbh, agus thog iad orra air an turas le na mucan.

"A chàirdean còire," arsa Gwydion, "feumaidh sinn siubhal gu h-aithghearr. Cha mhair a' gheas seo ach aon latha."

An oidhche sin shiubhail iad fhèin 's na mucan gu ruige aonach Cheredigion – chun an àite air a bheil Mochdref (Baile nam Muc) fhathast air sgàth nam muc. Air an ath latha chum iad orra agus thàinig iad tarsainn air Elenid. An oidhche sin dh'fhuirich iad eadar Ceri agus Arwystli, anns a' chlachan air a bheil Mochdref cuideachd, air sgàth nam muc. Dh'fhalbh iad as a sin, agus an ath oidhche rithist chaidh iad gu àite ann am Powys air a bheil Mochnant (Gleann nam Muc), air sgàth nam muc cuideachd. Chuir iad an oidhche seachad an sin, agus an uair sin thàinig iad do sgìre Rhos, far an do chuir iad seachad oidhche ann an àite air a bheil Mochdref e fhèin.

"A, fhearaibh," arsa Gwydion, "'s ann a nì sinn air daingneachdan Ghwynedd le na beathaichean seo. Tha sluagh mòr dhiubh a' tighinn as ar deaghaidh."

Rinn iad air a' bhaile a b'àirde ann an Arllechwed agus rinn iad fail no *crau* dha na mucan an sin. Agus air sgàth sin thugadh Creuwrion air a' bhaile mar ainm. An uair sin, is iad air fail a dhèanamh dha na mucan, chaidh iad gu Math mac Mhathonwy an Caer Dathl.

Nuair a ràinig iad sin bha saighdearan na rìoghachd gan cruinneachadh 'nam feachdan.

"Dè'n naidheachd a tha'n seo?" dh'fhaighnich Gwydion.

"Tha Pryderi a' togail saighdearan aoin sgìre thar fhichead as ur deaghaidh," thuirt iad. "Tha e 'na chùis-iongnaidh mhòir cho slaodach 's a bha sibh a' siubhal."

"Càit a bheil na beathaichean a chaidh sibh a dh'iarraidh?" dh'fhaighnich Math.

"Rinneadh fail dhaibh anns an sgìre sin thall," thuirt Gwydion.

Leis a sin, chual' iad trompaidean is chual' iad saighdearan na rìoghachd a' cruinneachadh gu chèile. An uair sin chuir iad umpa an cuid armachd agus dh'fhalbh iad gus an do ràinig iad Pennardd, ann an Arfon.

An oidhche sin thill Gwydion mac Dhon agus Gilfaethwy, a bhràthair, a Chaer Dathl. Agus chuireadh Gilfaethwy agus Goewin, nighean Phebin, a chadal còmhla ann an leabaidh Mhath mhic Mhathonwy, agus chaidh na h-ingheanan a bha 'nan

Geasachd Ghwydion

seirbhisich fhuadach a-mach le làmhachas-làidir. Agus dh'fhuiling Goewin am masladh seo an oidhche sin gu tur an aghaidh a deòin.

Nuair a chunnaic an dithis bhràithrean gu robh i a' soilleireachadh an ath mhadainn, thog iad orra chun an àite far an robh Math mac Mhathonwy agus armailt. Nuair a ràinig iad bha na daoine sin a' dol a bheachdachadh air cò an t-àite a b'fheàrr airson Pryderi is muinntir a' Chinn a Deas fheitheamh ann. Ràinig an dithis acasan fhad 's a bhathar a' dèanamh sin. Agus 's e a shocraicheadh gu fuiricheadh iad ann an daingneachdan Ghwynedd, an Arfon. Chuir iad an oidhche sin seachad ann am meadhan dà oighreachd, Oighreachd Phennardd agus Oighreachd Choed Alun.

Siud gun tug Pryderi ionnsaigh orra. Agus chuireadh blàr an sin, agus chaidh sluagh mòr a mharbhadh air an dà thaobh, agus b'fheudar do mhuinntir a' Chinn a Deas teicheadh. Agus 's e Nant Call an t-ainm a th'air an àite chun an do theich iad fhathast. 'S ann a sin a lean fir Ghwynedd iad, agus bha casgradh eagalach ann. An uair sin theich fir a' Chinn a Deas gu ruig' an t-àite air a bheil Dol Benmaen. Agus an sin chruinnich iad gu chèile agus dh'fheuch iad ris an t-sìth a dhèanamh, agus thug Pryderi feadhainn dhe dhaoine do Mhath mar bhraighdean agus mar urras air an fhois o shabaid. B'iadsan Gwrgi Gwastra agus trì thar fhichead de mhic dhaoin'-uaisle.

Dh'fhalbh fir a' Chinn a Deas an uair sin, a rèir a' chùmhnaint seo, gu ruig' an Tràigh Mhòr. Ach nuair a bha iad a' ruighinn an Ath Bhuidhe cha ghabhadh na saighdearan-coise bacadh o bhith a' feuchainn shaighead air a chèile. Chuir Pryderi teachdairean a dh'àithne dhan dà thaobh sgur, agus a dh'iarraidh gu fàgte an gnothach aige fhèin is aig Gwydion mac Dhon, 's gur h-esan a dh'adhbhraich an trioblaid. Thàinig na teachdairean seo gu Math.

"Seadh," arsa Math, "tha Dia 'na fhianais, ma tha Gwydion ag aontachadh, gu bheil mise deònach gu rachadh e shabaid. Cha toir mise air duine sam bith sabaid. Nì sinn na 's urrainn dhuinn airson blàr a sheachnadh."

"Gu fìrinneach," thuirt na teachdairean, "tha Pryderi a' ràdh nach eil ann ach an ceartas gu seasadh am fear a rinn an t-olc seo air a-mach 'na aghaidh, agus nach biodh an dà armailt an sàs idir."

"Tha Dia 'na fhianais," arsa Gwydion, "nach fhàg mis' aig fir Ghwynedd a bhith sabaid 'nam àite fhìn is mi faighinn cothrom còmhrag a chur ri Pryderi leam fhìn. Thèid mise 'na aghaidh gu toilichte."

Agus seo an fhreagairt a thugadh gu Pryderi.

"Glè mhath," thuirt Pryderi. "Chan iarr mise air duine a dhol a dh'fhaighinn a' cheartais 'nam àite fhìn."

Chuireadh an dithis fhear air leth, Pryderi is Gwydion; agus thòisich iad air an armachd a chur umpa; agus chaidh iad a shabaid an uair sin. Agus le cumhachd a neirt 's a ghaisge, agus le cumhachd geasachd is draoidheachd, fhuair Gwydion a' bhuaidh, agus chaidh Pryderi a mharbhadh. Agus chaidh a thiodhlacadh ann am Maen Tyfiawg (Maentwrog), os cionn an Ath Bhuidhe, agus sin far a bheil uaigh.

Thill fir a' Chinn a Deas dhan dùthaich fhèin is iad a' gabhail tuiridh. Bu bheag an t-iongnadh: bha iad air an tighearna a chall, agus mòran dhe na daoine a b'fheàrr a bh'aca, 's an cuid each, agus a' chuid a bu mhotha dhen armachd.

Ach fir Ghwynedd – 's ann a ghabh iadsan rompa le toileachas is le luathghair.

"A thighearna," thuirt Gwydion ri Math, "nach b'fheàrr dhuinn an daoin'-uaisle a leigeil as do dh'fhir a' Chinn a Deas – an fheadhainn a thug iad dhuinn mar bhraighdean a ghleidheadh na sìth? Cha bu chòir dhuinn an cumail mar phrìosanaich.”

“Biodh iad air an leigeil mu sgaoil, ma-tha,” thuirt Math.

Agus leigeadh le Gwrgi Gwastra agus na braighdean eile falbh as deaghaidh fir a’ Chinn a Deas.

Rinn Math an uair sin air Caer Dathl. Agus chaidh Gilfaethwy mac Dhon agus saighdearan na cùrtach a bha air a bhith còmhla ris air cuairt timcheall Ghwynedd, gun tilleadh chun na cùrtach. Chaidh Math gu sheòmar agus thug e air àite a bhith air ullachadh dha feuch an cuireadh e a chasan ann an uchd a mhaighdinn.

“A thighearna,” thuirt Goewin, “feumaidh tu a-nis coimhead airson cuideigin eile a chumas do chasan dhut. Chan eil mise ’nam mhaighdinn tuilleadh.”

“Dè ’s ciall dha seo?” dh’fhaighnich Math.

“Rinneadh ionnsaigh orm, a thighearna, agus sin gun chleith sam bith. Agus cha do dh’fhuirich mi sàmhach idir – cha robh neach sa chùirt nach robh fhios aig’ air. Agus ’s e an fheadhainn a thàinig, a thighearna, mic do pheathar, Gwydion mac Dhon is Gilfaethwy mac Dhon. Rinn iad ionnsaigh ormsa agus thug iad masladh ortsa, agus sin ’nad sheòmar fhèin ’s ’nad leabaidh fhèin.”

“Gu dearbha,” thuirt esan, “na ’s urrainn dhomhsa a dhèanamh, nì mi e. Iarraidh mi ceartas air do shon-sa, agus air mo shon fhìn cuideachd. Agus gabhaidh mi thusa gu bhith ’nad bhean dhomh, is cuiridh mi ùghdarras air mo thighearnas ’nad làimh.”

Cha tàinig Gwydion no Gilfaethwy faisg air a’ chùirt aig an àm seo. Lean iad orra a’ falbh timcheall na dùthcha gus an deach biadh is deoch a thoirt dhaibh a thoirmeasg. An toiseach cha tàinig iad an còir Mhath. Ach an ceann treis thàinig iad thuige.

“A thighearna,” thuirt iad, “latha math dhut.”

“Seadh, ma-tha!” thuirt esan. “A bheil sibh air tighinn a leasachadh a’ chroin a rinn sibh orm?”

“A thighearna, dèan mar a thoilicheas tu leinn.”

“Nan robhar air mo thoil-sa a choimhlionadh, cha robh mi air uiread de dhaoine ’s de dh’armachd a chall ’s a chaill mi. Chan urrainn dhan dithis agaibhse leasachadh a dhèanamh air a’ mhasladh a thug sibh orm, gun ghuth air bàs Phryderi a leasachadh. Ach a chionn ’s gu bheil sibh air sib’ fhèin a chur air mo thoil-sa, tòisichidh mi air ur peanasachadh.”

Agus rug e an uair sin air a shlait draoidheachd is bhuail e Gilfaethwy, is chaidh e ’na eilid mhòir. Ghlac e Gwydion gu h-aithghearr cuideachd – ged a bha e airson teicheadh, cha b’urrainn dha. Chaidh esan a bhualadh leis an t-slait cuideachd agus chaidh e ’na fhiadh.

“Seachd gu bheil sibh ag obair còmhla, faodaidh sibh a bhith beò còmhla ’s a bhith fireann is boireann còmhla, agus bidh sibh dìreach mar a tha na beathaichean fiadhaich a tha sibh ’nan cruth. Agus aig an àm a bhios àl aig na beathaichean sin beiridh sibhse cuideachd. Agus bliadhn’ on diugh, thigibh an seo thugamsa.”

An ceann bliadhna chuala Math ùpraid fo bhalla a sheòmair, agus comhartaich choin na cùrtach a bharrachd air an fhuaim.

“Thoir sùil,” thuirt e ri fear dhe sheirbhisich, “feuch dè tha muigh.”

“A thighearna,” thuirt e, “tha mi air sùil a thoirt mu thràth. Tha fiadh is eilid ann, agus mang aca.”

Leis a sin, dh’èirich e is chaidh e mach. Nuair a ràinig e chunnaic e trì beathaichean

69

– damh fèidh is eilid, agus mang a bha tapaidh. Agus 's e a rinn e a shlat draoidheachd a thogail.

"Am fear agaibh a bha 'na eilid an-uiridh, feumaidh e bhith 'na thorc coille am bliadhna. Agus am fear agaibh a bha 'na dhamh an-uiridh, feumaidh e bhith 'na chràin am bliadhna."

Leis a sin, bhuail e iad leis an t-slait draoidheachd.

"Agus an gille seo a rinn mi dhen mhang, gabhaidh mi esan agus chì mi gun tèid àrach 's a bhaisteadh." Agus 's e Hyddwn (Fiadhan) an t-ainm a thugadh air. "Agus sibhse, thoiribh an rathad oirbh. Bidh an dara duin' agaibh 'na thorc coille, agus an fear eile 'na chràin. Agus an nàdur a th'aig a' mhuic fhiadhaich, 's e a bhios agaibhse. Agus bliadhn' on diugh, bithibh an seo fon bhalla is ur n-uircean còmhla ribh."

An ceann bliadhna chualas fuaim comhartaich chon fo bhalla an t-seòmair agus, a bharrachd air a sin, bha muinntir na cùrtach a' cruinneachadh còmhla. Leis a sin, dh'èirich Math is chaidh e mach. Agus nuair a thàinig e mach chitheadh e trì beathaichean: torc is cràin coille, agus uircean tapaidh aca. Bha meudachd mhath anns an uircean dhe aois.

"Seadh," ars Math. "Gabhaidh mi fhìn am fear seo agus chì mi gun tèid a bhaisteadh." Agus bhuail e e leis an t-slait draoidheachd, agus thionndaidh e 'na ghille snog, bàn-ruadh. Agus 's e Hychdwn (Mucan) an t-ainm a thugadh air. "Air ur son-se," thuirt Math ri Gwydion agus Gilfaethwy, "am fear a bha 'na thorc coille an-uiridh, bidh e 'na mhadadh-allaidh boireann am bliadhna. Agus am fear a bha 'na chràin an uiridh, bidh e 'na mhadadh-allaidh fireann am bliadhna."

Siud e gam bualadh leis an t-slait draoidheachd air dhòigh 's gun deach iad 'nam madadh-allaidh fireann is boireann. "Agus bidh an aon nàdur agaibh 's a th'aig na beathaichean a tha sibh 'nan cruth. Agus bithibh an seo, bliadhn' on diugh, fon bhalla seo."

Bliadhna chun an latha sin, chuala Math daoine a' cruinneachadh còmhla agus chual' e comhartaich fo bhalla a' chaisteil. A-mach gun deach e. Nuair a thàinig e mach chunnaic e madadh-allaidh fireann is boireann, is cuilean òg tapaidh aca.

"Gabhaidh mi am fear seo," thuirt e, "agus chì mi gun tèid a bhaisteadh. Agus tha ainm deiseil air a shon, agus 's e sin Bleiddwn (Madadhan). An triùir mhac a th'agaibh, seo mar a tha iad:

> Triùir mhac aig Gilfaethwy carach,
> triùir dhìleas a tha 'nan gaisgich:
> Madadhan, Fiadhan 's Mucan Fada."

70

Leis a sin, bhuail e an dithis aca air dhòigh 's gu robh iad 'nan daoine a-rithist.

"Fhearaibh," thuirt e, "ma rinn sibh cron ormsa, tha sibh air peanas gu leòr fhaighinn, agus 's e tàmailt mhòr a th'ann dhiubh gu bheil a' chlann seo agaibh. Biodh àite-ionnlaid air ullachadh dha na daoine seo, is biodh am falt air a nighe 's biodh iad air an dèanamh ciatach 'nan coltas."

Chaidh sin a dhèanamh. An deaghaidh dhaibh a bhith air an nighe, thill iad far an robh Math.

"Fhearaibh," thuirt esan, "tha sibh air an t-sìth a chosnadh dhuib' fhèin, agus bidh sinn càirdeil ri chèile. Thoiribh comhairle orm a thaobh cò a' mhaighdean a bu chòir dhomh a lorg."

"A thighearna," thuirt Gwydion mac Dhon, "tha e furasda comhairle a thoirt ort – tha Arianrhod nighean Dhon, nighean do pheathar."

Chaidh ise a thoirt thuige, agus thàinig i a-steach.

"Seadh, a mhaighdean!" thuirt Math. "An e maighdean a th'annad dha-rìribh?"

"Chan aithne dhomhsa a chaochladh," thuirt i.

An uair sin rug Math air a shlait draoidheachd is lùb e i.

"Gabh ceum os cionn na slait seo," thuirt e, "agus ma tha thu 'nad mhaighdinn bidh fhios agamsa."

Choisich i os cionn na slait draoidheachd. Agus nuair a rinn i sin dh'fhàg i leanabh gille mòr buidhe-bhàn as a deaghaidh. Leig an gille èigh chruaidh. An deaghaidh na h-èigh rinn ise air an doras, agus an uair sin dh'fhàg i rudeigin beag as a deaghaidh. Mun d'fhuair duine sùil eile a thoirt air, dh'fhalbh Gwydion is chòmhdaich e e le sìoda is chuir e 'm falach e. Agus chuir e 'm falach e ann an ciste bhig ri cois a leapa.

"Gu dearbha," thuirt Math mac Mhathonwy mun ghille bheag thapaidh bhuidhe-bhàn, "chì mi gun tèid am fear seo a bhaisteadh. Agus 's e Dylan an t-ainm a bheir mi air." Chaidh an gille a bhaisteadh. Agus cho luath 's a chaidh a bhaisteadh rinn e air a' mhuir. Agus an làrach nam bonn, a cheart cho luath 's a thàinig e chun na mara, thàinig nàdur na mara air, agus shnàmh e cho math ris an iasg a b'fheàrr a bha sa mhuir! Air sgàth sin thugadh Dylan Eil Tonn air (Dylan Mac na Tuinne). Cha do bhrist tonn fodha riamh.

Aon latha, nuair a bha Gwydion san leabaidh 's e dùsgadh, chluinneadh e èigh on chiste aig a chasan. Ged nach robh an èigh cruaidh, bha i cho cruaidh 's gun cluinneadh e i. Dh'èirich e gu sgiobalta 's dh'fhosgail e a' chiste. Agus nuair a dh'fhosgail e i chitheadh e leanabh beag 's a làmhan a-null 's a-nall agus e a' cur an fhosglaidh a bha an còmhdach na ciste an dara taobh. Thog e an leanabh 'na uchd agus rinn e air a' bhaile, far an robh fhios aige gu robh boireannach a thogadh e. Agus thàinig e gu còrdadh ris a' bhoireannach is dh'aontaich ise a chùram a ghabhail.

Chaidh coimhead as deaghaidh an leanaibh a' bhliadhna sin. Agus aig deireadh na bliadhna bhiodh duine air uimhireachd a chur air leanabh dà bhliadhna dh'aois a bha uiread ris. Aig deireadh na dara bliadhna bha e 'na ghille mòr, agus dhèanadh e a rathad chun na cùrtach leis fhèin. An deaghaidh dha tighinn chun na cùrtach thòisich Gwydion air suim a ghabhail dheth. Agus dh'fhàs an gille eòlach airsan agus thàinig e gu bhith na bu mheasaile air na air duine sam bith. Chaidh àrach sa chùirt gus an robh e ceithir bliadhna dh'aois. Agus 's e cùis-iongnaidh a bh'air a bhith ann gille a bha ochd bliadhna a bhith cho mòr ris.

Aon latha, lean e Gwydion 's esan a-muigh a' coiseachd. Chaidh Gwydion gu Dùn Arianrhod, agus chaidh an gille còmhla ris. Nuair a ràinig iad a' chùirt sheas

71

Arianrhod an coinneamh Ghwydion, gus fhàilteachadh.

"Dia gu soirbhicheadh leat," arsa Gwydion.

"Cò an gille a tha seo ri do shàil?" dh'fhaighnich ise.

"An gille seo? Tha do mhac," thuirt e.

"'S e thusa! Dè a th'ort – gam nàrachadh, 's a' leantainn ort ga dhèanamh cho fada seo?"

"Ma tha nàir' ort gun do thog mi a leithid seo de ghille, chan eil cùis-nàire mhòr sam bith agàd!"

"Dè an t-ainm a th'air a' ghille?" dh'fhaighnich i.

"Gu dearbha," thuirt esan, "chan eil ainm sam bith fhathast."

"Nach eil, ma-tha?" ars' ise. "Tha mise 'g innse dhut nach bi ainm air – mura toir mise fear air."

"Tha Dia 'na fhianais gur h-e droch bhoireannach a th'annad," thuirt esan. "Ach bidh ainm air a' ghille, ged nach còrd e riutsa. Agus thusa," thuirt e, "'s a leithid de dh'fheirg ort nach gabhar maighdean ort, o seo a-mach cha ghabhar maighdean gu bràth ort." Agus leis a sin choisich e air falbh 's an fhearg air agus chaidh e gu Caer Dathl, far an do dh'fhuirich e an oidhche sin.

Dh'èirich e an ath mhadainn is thug e leis a mhac is chaidh e is choisich e ri taobh na mara eadar Caer Dathl is Aber Menai. Agus far am fac' e feamainn rinn e bàta le draoidheachd. Agus rinn e leathar le draoidheachd air an fheamainn 's air an duileasg, agus chuir e dath air air dhòigh 's nach fhacas leathar na bu bhrèagha riamh. Leis a sin, thog e seòl air a' bhàta agus thàinig iad gu cachaileith balla Dhùn Arianrhod, e fhèin 's an gille.

An uair sin thòisich iad air an leathar a ghearradh an cumadh bhrògan agus air fhuaigheal. Agus chunnacas iad san Dùn. Nuair a thuig e gun tugadh an aire dhaibh, dh'atharraich e cruth an dithis aca air dhòigh 's gu robh coltas eile orra, airson nach aithnicheadh duin' iad.

"Cò na daoine tha siud sa bhàta?" dh'fhaighnich Arianrhod.

"Greusaichean," fhreagair iad.

"Rachaibh a choimhead dè an seòrsa leathair a th'aca, agus dè an seòrs' obrach a bhios iad a' dèanamh," thuirt i.

Thàinig a teachdairean far an robh Gwydion 's an gille. Nuair a ràinig iad chunnaic iad gu robh Gwydion a' cur dath air an leathar, dath an òir. An uair sin thill na teachdairean is dh'innis iad seo do dh'Arianrhod.

"Seadh gu dearbh," thuirt i. "Gabhaibh tomhas mo choise, agus canaibh ris a' ghreusaiche brògan a dhèanamh dhomh."

Rinn esan na brògan, chan ann a rèir an tomhais, ach na bu mhotha. Thugadh na brògan thuice. Bha iad ro mhòr! "Tha iad seo ro mhòr," thuirt i. "Gheibh an greusaiche a phàigheadh air an son, ach dèanadh e feadhainn nas lugha."

Rinn Gwydion paidhir eile, ach rinn e iad seo na bu lugha na casan-se agus chuir e thuic' iad.

"Canaibh ris nach freagair iad sin nas mò," thuirt i.

Chaidh seo innse do Ghwydion.

"Seadh, ma-tha," thuirt esan. "Cha dèan mise paidhir eile dhi gus am faic mi a casan."

Chaidh seo a ràdh rithe.

"Glè mhath," thuirt i. "Thèid mi thuige."

72

Laigh Dreadhan-donn air a' Bhàta

Siud gun do dh'fhalbh i chun a' bhàta. Nuair a ràinig i bha Gwydion a' gearradh cumadh nam bròg san leathar is bha an gille a' fuaigheal.

"Seadh, a bhean-uasal," arsa Gwydion, "latha math dhut."

"Dia gu soirbhicheadh leat," thuirt ise. "Tha fìor iongnadh orm nach rachadh agad air brògan a ghearradh ceart a rèir an tomhais."

"Cha rachadh roimhe seo," thuirt e, "ach thèid a-nis."

Leis a sin, laigh dreadhan-donn air a' bhàta. Chuimsich an gille air agus bhuail e e eadar fèithean na coise 's an cnàimh. Agus rinn ise gàire.

"Gu dearbha," thuirt i, "'s ann le làimh ealanta a bhuail am fear bàn e."

"'S ann," thuirt esan. "Mallachd Dhè ortsa. Fhuair an gille ainm, ainm a nì an gnothach glè mhath: 's e Lleu Llaw Gyffes (Fear Bàn na Làimh Ealanta) a th' air a-nis."

An uair sin dh'fhalbh an draoidheachd is thionndaidh am bàta 'na feamainn a-rithist.

"Gu fìrinneach," ars' Arianrhod, "chan fheàirrd' thu dad e a bhith dona dhòmhsa."

"Cha robh mi dona dhut idir thuige seo," thuirt Gwydion. Agus an uair sin thill e an gille gu chruth 's gu chumadh fhèin. Is chaidh e fhèin air ais gu chruth fhèin.

"Seadh dìreach!" thuirt Arianrhod. "Tha mise 'g innse dhut gum bi an gille seo gun armachd gu bràth nas lugha na dh'armaicheas mis' e."

"Tha Dia 'na fhianais," arsa Gwydion, "gur h-e d'olcas fhèin as adhbhar dhan dragh seo uile. Ach gheibh esan armachd!"

Thàinig Gwydion is Lleu an uair sin gu Dinas Dinlleu. Agus chaidh Lleu na Làimh Ealanta a thogail an sin gus am marcaicheadh e air a h-uile h-each, agus gus an robh e coimhlionta 'na chruth 's na choltas, 's gus an do dh'fhàs e gu làn-ìre.

Chunnaic Gwydion an uair sin gu robh Lleu fo thùrsa le cion each is armachd, agus ghairm e thuige e.

"Siuthad, 'ille," thuirt e, "thèid sinn – mi fhìn 's tu fhèin – air gnothach a-màireach. Agus bidh nas sunndaiche na tha thu!"

"Nì mi sin," thuirt an gille.

Tràth air an ath mhadainn dh'èirich iad is chaidh iad ri taobh na mara a dh'ionnsaigh Bhryn Arien. Agus an ceann shuas Chefn Cludno chaidh iad air muin eich agus thàinig iad gu Dùn Arianrhod. An uair sin dh'atharraich iad an cruth, agus chaidh iad gu cachaileith an Dùin 's iad a' coimhead coltach ri dithis òganach –ach gu robh Gwydion a' coimhead na bu shine na'n gille.

"A dhorsair," thuirt Gwydion, "thalla a-steach is can gu bheil bàird a Morgannwg an seo." Agus dh'fhalbh an dorsair.

"Tha fàilte rompa an ainm Dhè. Leig a-steach iad," ars' Arianrhod.

Bhathar fìor thoilichte gu robh iad air tighinn. Chaidh an talla ullachadh, agus chaidh iad gu biadh. An deaghaidh sin a ghabhail bhruidhinn Arianrhod is Gwydion air sgeulachdan is eachdraidhean. Agus bha esan, Gwydion, math air sgeulachd.

Nuair a thàinig an t-am airson crìoch a chur air an fhearas-chuideachd, chaidh seòmar ullachadh dhaibh, is dh'fhalbh iad a chadal.

Dh'èirich Gwydion tràth sa mhadainn. Thòisich e an uair sin air gairm air a chuid draoidheachd 's a gheasachd. Mun àm a bha i air tòiseachadh air soilleireachadh bha tòrr de dhol air ais 's air adhart ann, is fuaim chòrn is èigheach air feadh na dùthcha. Nuair a bha an latha faisg chual' iad gnogadh air doras an t-seòmair agus, leis a sin,

Arianrhod ag àithne gu fosgailt' an doras. Dh'èirich an gill' òg is dh'fhosgail e e. Thàinig ise steach, is maighdean còmhla rithe.

"O, fhearaibh," thuirt i, "tha sinn an droch càs!"

"Gu dearbha, tha!" arsa Gwydion. "Tha sinne cluinntinn fuaim chòrn is èigheach. Ach dè a tha thu smaoineachadh a th'ann?"

"Gu firinneach," ars' ise, "chan fhaic sinn dath na mara leis na tha de bhàtaichean 'nan cnap còmhla. Agus tha iad a' tighinn gu tìr cho luath 's a thèid aca. Dè nì sinn?"

"A bhean-uasal," arsa Gwydion, "cha dèan ach an Dùn a dhùnadh agus a dhìon cho math 's a thèid againn air."

"Seadh," thuirt i. "Dia a bhith math dhuibh. Agus dèanaibh deiseil gus a dhìon — agus gheibh sibh armachd gu leòr an seo."

Leis a sin, chaidh i a dh'iarraidh armachd. Thill i fhèin is dà mhaighdean còmhla rithe, is armachd aca do dhithis fhear.

"A bhean-uasal," thuirt Gwydion, "armaich thusa an t-òganach seo. Agus cuiridh mise — mi fhìn 's na maighdeanan seo — m'armachd fhìn umam. Tha mi cluinntinn fuaim dhaoine a' tighinn."

"Nì mi sin gu toilichte," thuirt Arianrhod.

Agus chuir i armachd gu lèir air Lleu, agus rinn i sin gu toilichte.

"An do dh'armaich thu an t-òganach?" dh'fhaighnich Gwydion.

"Dh'armaich," ars' Arianrhod.

"Tha mis' air mi fhìn armachadh cuideachd," thuirt esan. "Agus a-nis cuiridh sinn dhinn an armachd seo: chan eil feum againn oirre."

"O!" ars' ise. "Carson? Nach eil a' chabhlach bhàtaichean mun taigh!"

"A bhoireannaich," thuirt e, "chan eil cabhlach idir ann."

"Dè?" thuirt i. "Dè an seòrsa cruinneachaidh a bha siud, ma-tha?"

"Cruinneachadh," ars' esan, "airson am bacadh a chur thusa air do mhac a thogail, agus airson armachd fhaighinn dha. Agus tha armachd aige a-nis — air do neo-ar-thaing."

"Tha Dia 'na fhianais," thuirt i, "gur h-olc an duin' thu. Dh'fhaodadh iomadach duin' òg a bhith air a bheatha a chall anns an ùpraid chianail a rinn thusa anns an sgìre seo an-diugh. Ach tha mise 'g innse dhut nach fhaigh e gu bràth bean on ghnè boireannaich a th'air an talamh seo an dràsda."

"Seadh," thuirt esan, "tha thu air a bhith 'nad dhroch bhoireannach riamh, is cha bu chòir do dhuine cuideachadh sam bith a thoirt dhut. Ach gheibh esan bean, mar a fhuair e rudan eile."

Thàinig Gwydion is Lleu gu Math mac Mhathonwy agus ghearain iad gu goirt air Arianrhod, is dh'innis iad mar a fhuair iad armachd do Lleu.

"Seadh," thuirt Math, "feuchaidh sinn — mise 's tusa — ri bean a dhèanamh dha, le ar draoidheachd 's ar geasachd, air dìtheanan."

Bha Lleu a-nis 'na làn-dhuine, agus air òganach cho brèagha 's a chunnaic duine riamh.

Fhuair iad an uair sin dìtheanan an daraich, is dìtheanan a' bhealaidh, is dìtheanan crios Chù Chulainn, is asda sin rinn iad an nighean a bu bhrèagha 's a b'àille a chunnaic duine riamh. Agus chaidh a baisteadh — bha am baisteadh mar a bhiodh iad a' dèanamh aig an àm a bha siud — agus thugadh Blodeuwedd (Aghaidh nan Dìthean) mar ainm oirre.

An deaghaidh dhaibh pòsadh, aig cuirm na bainnse, thuirt Gwydion, "Chan eil e furasda do dhuine gun fhearann e fhèin a bheathachadh 's a chumail beò."

"Tha sin fìor," arsa Math. "Bheir mi dha an sgìre as fheàrr sam bith a gheibh duin' òg."

"Cò an sgìre tha sin, a thighearna?" thuirt Gwydion.

"Sgìre Dhinoding," thuirt esan.

Agus 's e Eifionydd is Ardudwy a th'air a sin a-nis. 'S e am bad dhen sgìre anns an do rinn Lleu cùirt dha fhèin an t-àite ris an canar Mur Castell, ann am bràighe Ardudwy. 'S ann an sin a rinn e a dhachaigh 's a bha e a' riaghladh. Agus bha a h-uile neach riaraichte leis fhèin 's le chuid riaghlaidh.

An uair sin, aon latha, chaidh Lleu a Chaer Dathl a choimhead air Math mac Mhathonwy. Air an latha a dh'fhalbh e a Chaer Dathl bha Blodeuwedd mun chùirt, agus chual' i fuaim cùirn. An deaghaidh an fhuaim chaidh damh fèidh sgìth seachad, is coin is sealgairean air a thòir. Agus an deaghaidh nan con 's nan sealgairean thàinig tòrr dhaoine dhen cois.

"Cuir seirbhiseach," thuirt i, "feuch am bi fhios againn cò an sluagh a tha seo."

Dh'fhalbh an seirbhiseach is dh'fhaighnich e cò iad.

"Seo Gronw Bebr," thuirt iad ris an t-seirbhiseach, "tighearna Phenllyn."

Dh'innis an seirbhiseach seo uile do Bhlodeuwedd.

Dh'fhalbh Gronw as deaghaidh an fhèidh. Aig bruaich abhainn Cynfael ghlac e e agus mharbh e e. Agus dh'fhuirich e a' feannadh an fhèidh agus a' biathadh nan con aige gus an tàinig an oidhche air. Agus nuair a bha i a' ciaradh thàinig e seachad air cachaileth na cùrtach.

"Gu deimhinne," arsa Blodeuwedd, "bidh sinn 'nar cùis-bhruidhne aig an duin'-uasal seo ma leigeas sinn leis falbh a dhùthaich eile mun àm seo a latha gun fhiathachadh an seo."

"Tha sin cho fìor 's a ghabhas e, a bhean-uasal," thuirt muinntir na cùrtach. "'S e fhiathachadh an seo as fheàrr."

An uair sin chaidh teachdairean an coinneamh Ghronw gus fhiathachadh chun na cùrtach. Ghabh esan ris an fhiathachadh gu sona agus thàinig e. Agus thàinig Blodeuwedd 'na choinneamh gus fàilte a chur air 's a dhèanamh di-beathte.

"A bhean-uasal, Dia a bhith math dhut airson na fàilte a chuir thu orm," thuirt e.

Chuir iad aodach eile umpa, is chaidh iad is shuidh iad. Sheall Blodeuwedd air; agus anns a' cheart mhionaid 's a sheall i air bha i air a lìonadh le gaol air. Sheall esan oirrese cuideachd, agus thàinig an aon smaoin thuige 's a thàinig thuicese. Cha b'urrainn dha falach bhuaipe gu robh gaol aige oirre, is dh'innis e sin dhi. Dh'fhàg seo ise anabarrach toilichte. Agus 's ann air a' ghaol 's air a' mheas a bh'aca air a chèile a bha iad a' còmhradh an oidhche sin. Agus cha do dh'fhàg iad e na b'fhaide na an oidhche sin fhèin gun chadal còmhla. Agus 's ann còmhla a chuir iad seachad an oidhche.

Air an ath latha dh'iarr Gronw cead falbh.

"Gu dearbha," thuirt i, "chan fhàg thu mise a-nochd."

Chuir iad an oidhche sin seachad còmhla cuideachd. Agus an oidhche sin bhruidhinn iad air ciamar a b'urrainn dhaibh fuireach còmhla ri chèile.

"Chan eil ach aon dòigh air a dhèanamh," thuirt esan, "agus sin faighinn a-mach o Lleu ciamar a ghabhas e marbhadh – agus sin le bhith leigeil ort gu bheil dragh ort dha thaobh."

Blodeuwedd, Aghaidh nan Dìthean

Air an ath latha dh'iarr Gronw a-rithist cead falbh.

"Gu dearbha, chan eil mi airson gu fàg thu mi an-diugh," thuirt i.

"Gu deimhinne, mura h-eil thu airson gu falbh mi, chan fhalbh mi," thuirt esan. "Ach an deaghaidh sin tha mi ràdh riut gu bheil cunnart ann gun till tighearna na cùrtach seo."

"Tha," thuirt i. "Leigidh mi leat falbh a-màireach."

Air an ath latha dh'iarr e cead falbh, agus cha do rinn i bacadh sam bith air.

"A-nis," arsa Gronw, "cuimhnich air an rud a thuirt mi riut, agus bruidhinn ris gu dùrachdach, a' cur an ìre dha gu bheil gaol cho mòr agad air. Agus faigh a-mach bhuaithe ciamar a ghabhas e marbhadh."

Thill Lleu dhachaigh an oidhche sin. Chuir e fhèin is Blodeuwedd an latha seachad a' còmhradh 's a' gabhail òran 's a' dèanamh rudan a bha tlachdmhor dhaibh. Agus an oidhche sin chaidh iad a chadal còmhla. Bhruidhinn esan rithe, is an uair sin bhruidhinn e a-rithist. Cha do fhreagair ise aon fhacal.

"Dè th'air èirigh dhut?" thuirt e. "A bheil thu gu math?"

"'S ann a tha mi smaoineachadh," ars' ise, "air rud air nach smaoinicheadh tusa dha mo thaobh-sa: tha cùram orm mu do bhàs. Dè nan robh thusa dol a dh'fhalbh romhamsa?"

"O, seadh," thuirt esan. "Dia a bhith math dhut gu bheil a leithid de chùram ort. Ach mura marbh Dia mise, chan eil e furasda mo mharbhadh idir."

"Air sgath Dhè 's air mo sgàth-sa," thuirt ise, "an innis thu dhomh dè an dòigh air am faodar do mharbhadh? Oir cuimhnichidh mise air an aire a thoirt nas fheàrr na nì thusa."

"Innsidh gu toilichte," thuirt e. "Chan eil e furasda mo mharbhadh le buille. Agus feumar a bhith bliadhna a' dèanamh na sleagh a mharbhas mi, agus gun a bhith ga dèanamh ach fhad 's a tha seirbhis na h-aifrinn san eaglais Latha na Sàbaid."

"A bheil sin cinnteach?" dh'fhaighnich i.

"Cho cinnteach 's a ghabhas e," ars' esan. "Chan urrainnear mo mharbhadh am broinn taighe," thuirt e, "is chan urrainnear mo mharbhadh a-muigh. Chan urrainnear mo mharbhadh air muin eich, is chan urrainnear mo mharbhadh 's mi air mo chois."

"Seadh!" thuirt ise. "Agus ciamar a ghabhas tu marbhadh?"

"Innsidh mi sin dhut," thuirt e. "Feumar amar a dhèanamh dhomh ri bruaich aibhne, agus mullach cruinn a chur timcheall air – mullach math, seasgair. Feumar gobhar fireann a thoirt chun an amair," thuirt e, "agus a chur faisg air. Feumaidh mise an uair sin aon chas a chur air druim a' ghobhair, agus an tèile air iomall an amair. Ge b'e cò bhuaileadh mi'n uair sin, bheireadh e'm bàs dhomh."

"Seadh gu dearbh!" thuirt i. "Tha mi a' toirt taing do Dhia airson sin. 'S fhurasda sin a sheachnadh."

Ach cho luath 's a chual' i seo leig i brath gu Gronw Bebr. Thòisich Gronw air an t-sleagh a dhèanamh, agus bliadhna on latha sin bha i deiseil. Agus air an latha sin fhèin leig e fios gu Blodeuwedd gu robh i deiseil.

"A thighearna," thuirt Blodeuwedd ri Lleu, "tha mi air a bhith smaoineachadh air an dòigh air am faodadh na dh'innis thu dhomh roimhe tachairt. An seall thu dhomh mar bu chòir dhut seasamh air iomall an amair agus air a' ghobhar ma gheibh mise amar deiseil?"

"Seallaidh," thuirt esan.

Chuir Blodeuwedd brath gu Gronw feuch am biodh e ann an sgàile a' chnuic air a bheil Bryn Cyfergyr a-nis – 's ann air bruaich abhainn Cynfael a bha seo. Bha i air ullachadh a dhèanamh, is bhathar air a h-uile gobhar anns an sgìre a chruinneachadh 's a thoirt gu taobh thall na h-aibhne, mu choinneamh Bhryn Cyfergyr (Cnoc na Buille).

Air an ath latha thuirt Blodeuwedd, "A thighearna, tha mi air an t-amar a chur air dòigh, 's am mullach cruinn timcheall air, agus tha iad deiseil."

"Glè mhath," arsa Lleu. "Thèid sinn a thoirt sùil orra, agus sin gu toilichte."

Air an ath latha a-rithist chaidh iad a choimhead air an amar.

"An tèid thu dhan amar, a thighearna?" dh'fhaighnich i.

"Thèid gu toilichte," thuirt e.

Dhan amar gun deach e, is nigh e e fhèin ann.

"A thighearna," thuirt i, "seo agad na beathaichean ud air an robh 'gobhair fhireann' agad."

"Seadh," thuirt e. "Biodh fear dhiubh air a ghlacadh 's air a thoirt an seo." Chaidh sin a dhèanamh. An uair sin dh'èirich e as an amar is chuir e air a bhriogais, agus chuir e aon chas air iomall an amair agus an tèile air druim a' ghobhair.

Siud gun do dh'èirich esan, Gronw, air a' chnoc air a bheil Bryn Cyfergyr. Dh'èirich e is chaidh e air aon ghlùin. Dh'fheuch e'n uair sin an t-sleagh 's i air a puinseanachadh air Lleu, agus bhuail i e 'na thaobh, air dhòigh 's gun do leum cas na sleagha a-mach as 's gun do dh'fhan an gob an sàs ann. An uair sin thug Lleu leum as is dh'èirich e air an iteig ann an cruth iolaire is leig e sgread oillteil. Agus chan fhacas e o sin a-mach.

Cho luath 's a dh'fhalbh esan, chaidh Blodeuwedd is Gronw chun na cùrtach. Chuir iad an oidhche sin seachad còmhla. Agus air an ath latha dh'fhalbh Gronw is cheannsaich e Ardudwy, agus an deaghaidh dha sin a dhèanamh riaghail e iad air a leithid a dhòigh 's gur h-ann leis a bha Ardudwy agus Penllyn còmhla.

An uair sin chuala Math mac Mhathonwy an eachdraidh. Dh'fhàs e tùrsach is draghail, agus bha Gwydion na bu mhiosa na e fhèin.

"A thighearna," thuirt Gwydion, "cha bhi fois orm gus an cluinn mi iomradh air mac mo pheathar."

"Gun teagamh," arsa Math. "Dia gad neartachadh."

Dh'fhalbh Gwydion an uair sin is chaidh e air a thuras. Shiubhail e Gwynedd is Powys o cheann gu ceann. Agus an deaghaidh dha falbh air feadh a h-uile h-àite thàinig e a dh'Arfon agus gu taigh duine aig an robh tuathanas beag ann an Oighreachd Phennardd. Chaidh e steach is dh'fhuirich e ann an oidhche sin.

Thàinig fear an taighe 's a theaghlach a-steach, agus mu dheireadh thàinig gille nam muc. Agus thuirt fear an taighe ris, "An tàinig a' chràin agad a-steach a-nochd, 'ille?"

"Thàinig," ars' esan. "Tha i dìreach an deaghaidh tighinn a-steach gu na mucan."

"Dè an eachdraidh a th'aig a' chràin sin?" dh'fhaighnich Gwydion.

"Nuair a dh'fhosgailear an fhail gach madainn, a-mach gun toir i. Chan eil sgeul oirr' as deaghaidh sin, agus cha mhotha tha fhios aig duine càit a bheil i dol na ged a shluigeadh an talamh i."

"Air mo sgàth-sa," arsa Gwydion, "am fàg sibh an fhail gun fhosgladh a-màireach gus am bi mi ann cuide ribh?"

"Nì sinne sin gu toilichte," fhreagair iad.

Chaidil iad an oidhche sin.

Nuair a chunnaic gille nam muc càil an latha, dhùisg e Gwydion. Dh'èirich esan is chuir e uime is chaidh e còmhla ris a' ghille is sheas iad ri taobh na faile. Dh'fhosgail gille nam muc an fhail. Cho luath 's a dh'fhosgail e i, leum a' chràin a-mach is choisich i gu sunndach. Lean Gwydion i. Agus chaidh i suas an abhainn agus rinn i air a' ghleann air a bheil Nantlleu (Gleann Lleu) an-diugh. An uair sin rinn i air a socair, is thòisich i air ithe.

Agus thàinig esan, Gwydion, fon chraoibh far an robh i agus sheall e feuch dè a bha a' chràin ag ithe. Chunnaic e gu robh i ag ithe feòil a bh'air lobhadh agus cnuimheagan. Agus nuair a sheall e, chunnaic e gu robh iolaire shuas am mullach na craoibhe. Agus nuair a chrathadh an iolaire i fhèin thuiteadh cnuimheagan is feòil ghrod bhuaipe; is bha a' chràin ag ithe sin gu sunndach. Agus shaoil Gwydion gur h-e Lleu a bha san iolaire, is sheinn e rann:

> "Darach a' fàs eadar dà loch;
> dorch' an t-adhar, dorch' an gleann;
> agus mura duirt mi breug,
> 's e *dìtheanan* Lleu a thug e ann."

Leig an iolaire i fhèin a-nuas gus an robh i am meadhan na craoibhe. Ghabh Gronw rann eile:

> "Darach a' fàs air còmhnard shuas
> nach fliuch uisge 's nach leagh blàths:
> 's iomadh àmhghair a dh'fhuiling
> Lleu na Làimh Ealanta 'na bàrr."

An uair sin leig an iolaire i fhèin a-nuas gus an robh i air a' mheanglan a b'ìsle dhen chraoibh. Agus an uair sin ghabh Gronw an rann eile seo dhi:

> "Darach a' fàs air bruthach àrd,
> dìdean tighearna – 's grinn a chruth;
> agus mura duirt mi breug,
> thig Lleu fhèin a-nuas 'nam uchd."

Agus thàinig an iolaire a-nuas a dh'uchd Ghwydion. An uair sin bhuail Gwydion i le a shlait draoidheachd gus an robh Lleu 'na chruth fhèin. Ach cha robh duine air sealladh na bu truaighe fhaicinn riamh: cha robh ann dheth ach na cnàmhan 's an craiceann.

Rinn Gwydion an uair sin air Caer Dathl. Agus an sin chaidh na bha de lìghichean matha ann an Gwynedd a thoirt thuige. Bha e slàn mun tàinig ceann na bliadhna.

"A thighearna," thuirt Lleu ri Math mac Mhathonwy, "tha làn-àm agamsa leasachadh fhaighinn on fhear a chràidh mi cho mòr."

"Gu dearbha, tha," thuirt Math. "Chan urrainn do Ghronw leantainn air mar seo gun an ceartas a thoirt dhut."

"Seadh," thuirt esan, "mar as luaithe a gheibh mi riarachadh 's ann as fheàrr."

Chaidh saighdearan Ghwynedd a chruinneachadh an uair sin, is rinn iad air Ardudwy. Chaidh Gwydion air thoiseach orra, agus chaidh e gu Mur Castell. Chuala Blodeuwedd gu robh iad a' tighinn agus thug i leatha na seirbhisich nigheanan a bh'aice is thug i na beanntan oirre. Chaidh i tro abhainn Cynfael, 's i a'

Gronw 's an Iolaire

dèanamh air a' chùirt a bha sa bheinn. Agus 's ann a' coiseachd an comhair an cùil 's a coimhead as an deaghaidh a bha iad leis na bh'orra a dh'eagal. Is le bhith falbh mar seo thuit iad dhan loch a th'air a' bheinn is chaidh am bàthadh, a h-uile tè ach Blodeuwedd.

An uair sin rug Gwydion oirre. Agus seo a thuirt e rithe. "Cha mharbh mi thu idir," thuirt e. "Nì mi rud nas mios' ort, is leigidh mi air falbh thu ann an cruth eòin. Agus air sgàth a' mhaslaidh a thug thu air Lleu na Làimh Ealanta, cha leig an t-eagal leat d'aghaidh a nochdadh ann an solas an latha, agus sin air sgàth gum bi eagal ort ro na h-eòin eile gu lèir. Agus bidh nàimhdeas eadar thu fhèin 's gach eun eile. Agus bidh e 'nan nàdur ionnsaigh a thoirt ort agus dragh a chur ort gach uair a thig iad ort. Ach cha chaill thu idir d'ainm : 's e Blodeuwedd a bhios ort gu bràth. (Agus tha sin a' ciallachadh 'cailleach-oidhche.' Sin as coireach gu bheil gràin aig na h-eòin air a' chaillich-oidhche.)

Siud gun do rinn esan, Gronw Bebr, air Penllyn. Chuir e teachdairean as a sin. Agus 's e a' cheist a chuir e air Lleu na Làimh Ealanta an gabhadh e fearann, no talamh, no òr, no airgead mar èirig airson a' mhaslaidh a bha e air a thoirt air.

"Cha ghabh, cha ghabh air mo mhionnan do Dhia," thuirt Lleu. "Seo an rud as lugha a ghabhas mi bhuaithe : gun tèid e dhan àite far an robh mise nuair a dh'fheuch e'n t-sleagh orm, agus gun tèid mise dhan àite far an robh esan. Agus gu leig e leamsa sleagh fheuchainn airsan. Sin an rud as lugha a ghabhas mi bhuaithe."

Chaidh seo innse do Ghronw Bebr.

"dhan àite far an robh mise"

Peanas Blodeuwedd

"Seadh," thuirt e, "feumaidh mi seo a dhèanamh . . . Mo dhaoin'-uaisle dìleas, 's a shaighdearan mo thaighe, a bheil duin' agaibhse a ghabhas a' bhuille seo 'nam àite?"

"Chan eil, gu dearbha," thuirt iad.

Agus a chionn 's gun do dhiùlt iad buille sam bith a ghabhail an àite an tighearna, 's e an t-ainm a fhuair iad – on uair sin chun an là an-diugh – Am Feachd Neo-dhìleas.

"Seadh," arsa Gronw, "gabhaidh mi a' bhuille mi fhìn."

Thàinig an uair sin an dithis aca, Lleu is Gronw, gu bruaich abhainn Cynfael. Sheas Gronw Bebr far an do sheas Lleu na Làimh Ealanta nuair a chaidh a bhualadh; agus sheas Lleu far an robh am fear eile air a bhith. Thuirt Gronw Bebr an uair sin ri Lleu, "A thighearna, seach gur h-ann tro chleas suarach boireannaich a rinn mi an rud seo a rinn mi ort, tha mi 'g iarraidh ort – air sgàth Dhè! . . . Chì mi leac air bruaich na h-aibhne: leig leam sin a chur eadar mi 's a' bhuille."

"Gu dearbha," thuirt Lleu, "cha diùlt mi sin dhut idir."

Rug Gronw an uair sin air an lic agus chuir e i eadar e fhèin 's a' bhuille. An uair sin bhuail Lleu e leis an t-sleagh, is chaidh i tron chloich agus troimhe fhèin air dhoigh 's gun do bhrist i a dhruim.

Sin mar a chaidh Gronw Bebr a mharbhadh, agus tha clach an sin, air bruaich

An t-Sleagh tron Lic

abhainn Cynfael an Ardudwy, is toll innte. Agus air sgàth sin 's e Llech Ronw (Leac Ghronw) a chanar rithe fhathast.

Agus Lleu na Làimh Ealanta, cheannsaich esan an dùthaich an dara turas agus riaghail e is shoirbhich leis. Agus a rèir na h-eachdraidh, bha e as deaghaidh sin 'na thighearna air Gwynedd.

Agus seo mar a tha a' gheug seo dhen Mhabinogi a' crìochnachadh.

AINMEANNAN CUIMREACH

Gheibhear feadhainn dhe na h-ainmeannan as cudthromaiche 's as bitheanta anns na sgeulachdan aig deireadh na h-earrainn seo, is beagan stiùiridh a thaobh mar a bu chòir an cantainn. Far an robhar a' smaoineachadh gum biodh e na b'fhasa facal Beurla a thogail mar eisimpleir, chaidh sin a dhèanamh.

Bu chòir innse cuideachd gun deach a' chiad litir anns na h-ainmeannan a shèimheachadh far an robh sin dualach, mar a nithear le faclan coimheach eile anns a' Ghàidhlig. Mar eisimpleir, 'sgìrean *Dhyfed*'; 'do *Ph*wyll'. Chan eil gin dhe na faclan a th'air an sèimheachadh anns a bheil *h* mar an dara litir anns a' Chuimris. Air an làimh eile, cha do rinneadh atharrachadh am broinn an fhacail idir, air eagal 's gu falaicheadh seo a chruth anns a' Chuimris nuair nach robh e a' nochdadh ach aon turas. Mar sin, 'Glifiau mac Thar*a*n', chan e 'Thar*ain*'.

Tha trì dòighean litreachaidh sònraichte as d'fhiach an ainmeachadh air leth. Thathar a' fuaimneachadh *dd* mar a thathar a' fuaimneachadh *th* anns an fhacal Bheurla *then*. Tha *f* leis fhèin mar *v* anns a' Bheurla (is *ff* dìreach mar *f*). 'S e *ll* as duilghe buileach. Ma ghabhas duine am facal Gàidhlig *cleas* no am facal Beurla *play*, is ma shèideas duine beagan nuair a thathar a' fuaimneachadh *l*, a' dèanamh *l* nas liotaiche na 's àbhaist, bidh an *l* sin rudeigin faisg air *ll* anns a' Chuimris! Gheibhear am fuaim seo am bad sam bith dhen fhacal: *Ll*asar, Caswa*ll*on, Pwy*ll*. Chan ionann e idir is *th* no *chl* anns a' Bheurla, ged a bhithear a' toirt nam fuaimeannan sin dha uaireannan.

Chan eil fuaimneachadh gu mòran deifir san leabhar seo, oir cha bhi duilgheadas ann ach le ainmeannan dhaoine is àiteachan, ach shaoileadh gum biodh e gu feum beagan cuideachaidh a thoirt seachad. Tha feadhainn dhe na faclan a leanas ann am barrachd is aon sgeulachd, ach tha iad air an cur fo ainm na sgeulachd far a bheil iad a' nochdadh an toiseach. Tha an lide air a bheil an cudthrom ann an litrichean Eadailteach.

Pwyll, Prionnsa Dhyfed

Pw-yll	*wy* mar *ubhai* ann an *ubhail*; faic *ll* shuas
Dyf-ed	*yf* mar *ov* ann an *cover*; *e* mar *ea* ann am *fear* ('man')
Ar-berth	*Ar* mar *ar* ann an *aran*, chan ann mar *ann* an *àrainn*
Ar-awn	*aw* mar *a* ann an *cam*
Ann-wn	*Ann* mar *an* ann am *man* ('fear'); *wn* mar *un* ann am *bun* ('base')
Haf-gan	*f* mar *v* ann a *have*
Rhi-*ann*-on	*ann* mar *an* ann am *man* ('fear')
Hef-eydd	*f* mar *v*; *ey* mar *ei* ann an *seinn*; faic *dd* shuas
Gwawl	*Gw* mar ann an *Gwen*; *aw* mar *a* ann an *cam*; *l* mar ann an *leam*
Clud	*lu* mar *lì* ann an *clì*
Teyr-non	*ey* mar *ei* ann an *seinn* (tha am facal seo càirdeach dhan fhacal *tighearna*)
Gw-ri	*Gwr* mar *gur* ('brood')
Pen-*dar*-an	*aran* mar *aran*
Pryd-*er*-i	*y* mar *o* ann an *cover*; *eri* mar ann an *Eric*
Cig-fa	*f* mar *v*

Branwen Nighean Llŷr

Ben-di-*geid*-fran	*Ben* mar *bean* ('wife'); *ei* mar ann an *seinn*; *f* mar *v* ('Bendi-gade-vran')
Har-lech	*Har* mar *thar*, chan ann mar ann a *harvest*
Ar-*dud*-wy	*dud* mar *did* ('rinn'); *wy* mar *ubhai* ann an *ubhail*
Man-*a*-wy-dan	*awy* mar *abhai* ann an *abhainn* (le blas nan Eilean a Deas)
Llŷr	Faic *ll* shuas; *yr* mar *ìr* ann an *tìr*
Ef-*nis*-i-en	*f* mar *v*; *is* mar *ios* ann am *fios*
Math-o-*lwch*	*Math* mar ann am *maths*; *wch* mar *uch* ann an *luch*
Bran-wen	*wen* mar ann an *Gwen*
Ab-*er*-ffraw	*ff* mar *f*; *aw* mar *a* ann an *cam*
Gwern	*Gw* mar ann an *Gwen*; *er* mar *ear* ann am *fear* ('man')
Car-a-dog	*ar* mar ann an *aran*
Gwal-*es*	*es* mar *eas* ann an *teas*
Pen-fro	*f* mar *v*
Ab-er Hen-*fel*-en	*f* mar *v*
Cas-*wall*-on	Faic *ll* shuas

Manawydan Mac Llŷr

Llw-yd	Faic *ll* shuas; *wy* mar *ubhai* ann an *ubhail* (tha am facal seo càirdeach dhan fhacal *liath*)

Math Mac Mhathonwy

Math	Mar ann am *maths*
Math-*on*-wy	*wy* mar *ubhai* ann an *ubhail*
Goe-win	*oe* mar *oi* ann an *coin* ('bonn')
Ar-fon	*Ar* mar ann an *aran*, chan ann mar ann an *àrainn*
Gil-*faeth*-wy	*f* mar *v*; *ae* mar *ei* ann an *seinn*; *wy* mar *ubhai* ann an *ubhail*
Gwyd-i-on	*wyd* mar *wid* ann a *widow*
Gwyn-edd	*wyn* mar *win*; faic *dd* shuas
Pow-ys	*ow* mar *o* ann am *fonn*; *ys* mar *is*
Cer-e-*dig*-i-on	Seo an t-ainm a fhuair an cruth *Cardigan* sa Bheurla
Moch-dref	*Moch* mar *moch*; *f* mar *v*
Caer Dathl	*aer* mar *ire* ('fearg'); *athl* mar *Atholl* (sa Bheurla)
Hydd-wn	*y* mar *o* ann an *cover*; faic *dd* shuas; *wn* mar *un* ann an *bun* ('base') – 'Huth-oon'
Hych-dwn	*y* mar *o* ann an *cover* ('Huch-doon')
Bleidd-wn	*ei* mar ann an *seinn*; faic *dd* shuas ('Blayth-oon')
Ari-*an*-rhod	*rhod* mar *rod* ('slat')
Ab-er *Men*-ai	*Men* mar *men* ('fìr'); *ai* mar *eye*
Lleu	Faic *ll* shuas; *eu* mar *ei* ann an *seinn*
Mor-*gann*-wg	*w* mar *u* ann a *thu*; seo *Glamorgan* sa Bheurla
Blod-*eu*-wedd	*eu* mar *ei* ann an *seinn*; *w* mar *u* ann a *thu*; faic *dd* shuas ('Blod-ay-weth')
Gron-w	*w* mar *u* ann a *thu*

TUILLEADH FIOSRACHAIDH

Tha gach leabhar a ghabhas gnothach ris a' Mhabinogi – is tha grunnan air a bhith ann – a' dol air ais gu dà làmh-sgrìobhainn a thathar air a ghleidheadh o na Linntean Meadhanach. Chan eil teagamh aig sgoilearan nach eil iad seo iad fhèin air an stèidheachadh air feadhainn nas sine – feadhainn a tha air chall a-nis. Ach 's e an làmh-sgrìobhainn as sine a th'air a ghleidheadh fhathast Llyfr Gwyn Rhydderch (Leabhar Geal Rhydderch), a tha taisgte ann an Leabharlann Dùthchail na Cuimrigh ann am baile Aberystwyth. Tha ceithir sgeulachdan a' Mhabinogi anns an leabhar seo còmhla ri sgeulachdan eile. Ged a tha caochladh bheachdan am measg sgoilearan a thaobh cuin a chaidh a sgrìobhadh, 's ann uaireigin eadar 1275 agus 1325 a chanadh a' chuid bu mhotha. Mar sin, tha an leabhar suas ri seachd ceud bliadhna dh'aois, mura h-eil e seachd ceud.

Chan eil an dara leabhar a thathar air a ghleidheadh buileach cho sean, is thathar a' meas gun deach a sgrìobhadh suas ri ceud bliadhna as deaghaidh an fhir eile. Seo Llyfr Coch Hergest (Leabhar Dearg Hergest), agus tha sin taisgte anns an Leabharlann Bhodleianach ann an Ath nan Damh an Sasainn.

A bharrachd air na dhà sin, tha làmh-sgrìobhainnean eile air ghleidheadh anns a bheil criomagan as na sgeulachdan. Sin an t-iomradh sgrìobhte air a' Mhabinogi as sine a th'ann, oir thathar a' smaoineachadh gur h-ann tràth anns an treas linn deug a rinneadh iad. Ach 's e criomagan fhèin a th'air fhàgail, is chan eil na ceithir sgeulachdan rim faighinn gu h-iomlan ach anns an Leabhar Gheal agus anns an Leabhar Dhearg.

Mar a shaoilte, tha na sgeulachdan fhèin nas sine na na làmh-sgrìobhainnean, agus gheibhear beachdan is co-dhùnaidhean a thaobh an aois is an gnè anns na leabhraichean a th'air an ainmeachadh shìos. Chan eil an seo ach taghadh dhe na tha sa Bheurla, ged a thathar air na sgeulachdan eadar-theangachadh a chànanan eile cuideachd – Fraingis is Gearmailtis, mar eisimpleir, gun ghuth a thoirt air Cuimris an là an-diugh.

Gheibhear dhà dhe na sgeulachdan anns a' Chuimris Mheadhanaich anns an do sgrìobhadh iad – ach air an deasachadh is air am mìneachadh tron Bheurla, le mòran fiosrachaidh – ann an dà leabhar a dh'fhoillsich Institiúid Árd-Léinn Bhaile Átha Cliath. 'S iad sin *Pwyll Pendeuic Dyuet* (Baile Átha Cliath, 1957), air a dheasachadh aig R. L. Thomson, agus *Branwen Uerch Lyr* (1961), air a dheasachadh aig Derick S. Thomson.

Ann am *Math vab Mathonwy* agus *Rhiannon* (Clò Oilthigh na Cuimrigh, Caerdydd/Cardiff, 1928 agus 1953), bheachdaich W. J. Gruffydd anns a' Bheurla air dà sgeulachd gu h-àraidh, is air seann eachdraidhean eile a dh'fhaodadh a bhith air an cùl. Sheall Proinsias Mac Cana air tèile anns an leabhar *Branwen Daughter of Llŷr* (Clò Oilthigh na Cuimrigh, 1958).

Tha grunnan eadar-theangachaidhean dhan Bheurla air a bhith ann, is faodar trì ainmeachadh: Gwyn Jones agus Thomas Jones, *The Mabinogion* (J. M. Dent agus a Mhic, Lunnainn, 1949, le deargadh ùr ann an 1983, san t-sreath 'Everyman's Library'); Jeffrey Gantz, *The Mabinogion* (Leabhraichean Penguin, 1976, le deargadh ùr ann an 1982); agus Patrick M. Ford, *The Mabinogi and other Medieval Welsh Tales* (Clò Oilthigh Chalifornia, Lunnainn, 1977).

Facal aig deireadh gnothaich air ainm nan sgeulachdan. Tha e coltach gun do rinn a' Bhaintighearna Teàrlag Guest mearachd an uair a chleachd i am facal *Mabinogion* mar ainm an eadar-theangachaidh ainmeil a rinn i air na Ceithir Geugan is air seann sgeulachdan eile anns an naodhamh linn deug. Anns a' chiad aite, ged a tha am facal *Mabinogion* (anns a' chruth *Mabynnogyon*) a' nochdadh aig deireadh sgeulachd Phwyll ann an làmh-sgrìobhainn, thathar a' meas nach eil an sin ach tuiteamas agus gur h-e *Mabinogi*, mar a tha sna Geugan eile, as freagarraiche. A-rithist, cha bu chòir a bhith toirt an ainm ach dha na sgeulachdan ris an canar na Ceithir Geugan – na sgeulachdan a tha san leabhar seo. Lean feadhainn eile, mar a bha Gwyn is Tòmas Jones, an dòigh eile air sgàth a' chleachdaidh ged a bha a' mhearachd soilleir dhaibh mar sgoilearan. Le ceartas, ge-ta, 's e *Mabinogi* an t-ainm, agus cha bu chòir a chleachdadh ach mar ainm air na Ceithir Geugan (mar a rinn Pàdraig Ford).

Bhathar an dùil uaireigin gu robh ceangal eadar an t-ainm Mabinogi agus *mab*, am facal Cuimreach a tha a' ciallachadh 'mac' no 'gille'. Bhathar a' smaoineachadh gu robh na sgeulachdan airson a bhith gan innse do ghillean òga – airson an oideachadh a thaobh mar bu chòir dhaibh iad fhèin a ghiùlain; no, a rèir beachd eile, airson gillean ionnsachadh a bha gu bhith 'nan sgeulaichean iad fhèin. O chionn ghoirid, ge-ta, tha feadhainn a' meas gur h-ann a tha ceangal eadar an t-ainm is Maponos, ainm a bh'air fear de sheann diathan nan Ceilteach.

A thaobh a bhith gabhail 'Gheugan' orra, 's ann as na làmh-sgrìobhainnean fhèin a thàinig sin cuideachd – aig deireadh gach sgeulachd. 'S e *keing* no *keinc* am facal anns a' Chuimris Mheadhanaich, agus tha seo càirdeach dhan fhacal *geug* anns a' Ghàidhlig (*cainc* ann an Cuimris an là an-diugh).